GUIA DEL MUSEO THYSSEN BORNEMISZA

TOMÀS LLORENS
MARÍA DEL MAR BOROBIA
CONCHA VELA

"El talento de un artista es un don para el mundo. Cuando empecé mi colección, el principal capital que yo poseía eran mis ojos, que son un don de Dios. Los pintores no hacen su obra para los ojos de un solo hombre. Mi legado como coleccionista es compartir y sólo puedo devolver este don haciendo posible que lo vea más de un hombre y comprenda el talento del artista".

Barón Hans Heinrich Thyssen-Bornemisza de Kaszon, 1983

I.S.B.N.: 84-88474-06-7
Depósito Legal: B-8031-1993

La maqueta de la obra y el diseño de la cubierta estuvieron a cargo de Daniel Gil.

Índice

PLANTA SEGUNDA

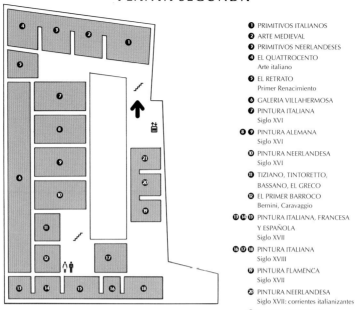

❶ PRIMITIVOS ITALIANOS
❷ ARTE MEDIEVAL
❸ PRIMITIVOS NEERLANDESES
❹ EL QUATTROCENTO
   Arte italiano

❺ EL RETRATO
   Primer Renacimiento
❻ GALERIA VILLAHERMOSA
❼ PINTURA ITALIANA
   Siglo XVI
❽ ❾ PINTURA ALEMANA
   Siglo XVI
❿ PINTURA NEERLANDESA
   Siglo XVI
⓫ TIZIANO, TINTORETTO,
   BASSANO, EL GRECO
⓬ EL PRIMER BARROCO
   Bernini, Caravaggio
⓭ ⓮ ⓯ PINTURA ITALIANA, FRANCESA
   Y ESPAÑOLA
   Siglo XVII
⓰ ⓱ ⓲ PINTURA ITALIANA
   Siglo XVIII
⓳ PINTURA FLAMENCA
   Siglo XVII
⓴ PINTURA NEERLANDESA
   Siglo XVII: corrientes italianizantes
㉑ PINTURA HOLANDESA
   Siglo XVII: retratos

PLANTA PRIMERA

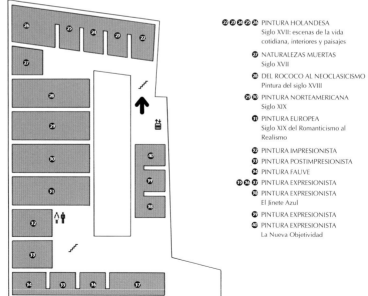

㉒ ㉓ ㉔ ㉕ ㉖ PINTURA HOLANDESA
   Siglo XVII: escenas de la vida
   cotidiana, interiores y paisajes

㉗ NATURALEZAS MUERTAS
   Siglo XVII
㉘ DEL ROCOCO AL NEOCLASICISMO
   Pintura del siglo XVIII
㉙ ㉚ PINTURA NORTEAMERICANA
   Siglo XIX
㉛ PINTURA EUROPEA
   Siglo XIX del Romanticismo al
   Realismo

㉜ PINTURA IMPRESIONISTA
㉝ PINTURA POSTIMPRESIONISTA
㉞ PINTURA FAUVE
㉟ ㊱ ㊲ PINTURA EXPRESIONISTA
㊳ PINTURA EXPRESIONISTA
   El Jinete Azul
㊴ PINTURA EXPRESIONISTA
㊵ PINTURA EXPRESIONISTA
   La Nueva Objetividad

PLANTA BAJA

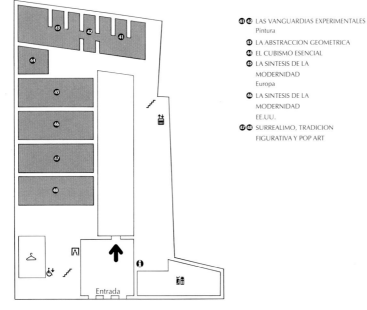

㊶㊷ LAS VANGUARDIAS EXPERIMENTALES
Pintura

㊸ LA ABSTRACCION GEOMETRICA

㊹ EL CUBISMO ESENCIAL

㊺ LA SINTESIS DE LA
MODERNIDAD
Europa

㊻ LA SINTESIS DE LA
MODERNIDAD
EE.UU.

㊼㊽ SURREALIMO, TRADICION
FIGURATIVA Y POP ART

Entrada

PRIMER SOTANO

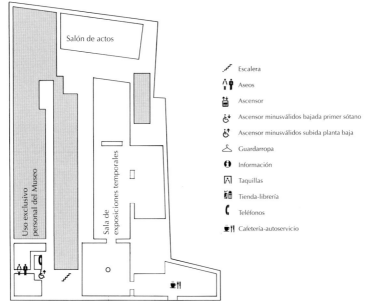

Salón de actos

Uso exclusivo
personal del Museo

Sala de
exposiciones temporales

╱ Escalera

Aseos

Ascensor

Ascensor minusválidos bajada primer sótano

Ascensor minusválidos subida planta baja

Guardarropa

Información

Taquillas

Tienda-librería

Teléfonos

Cafetería-autoservicio

Introducción

Las obras de arte que se presentan aquí han sido reunidas por la familia Thyssen-Bornemisza a lo largo de dos generaciones. La Colección, iniciada en los años veinte de nuestro siglo por el Barón Heinrich, fue considerablemente ampliada por su hijo Hans Heinrich, actual Barón Thyssen-Bornemisza.

La Colección, de cerca de 800 cuadros, ha sido cedida en préstamo al Estado español por un período de nueve años y medio. Aunque una selección de pinturas y esculturas de los siglos XIV al XVIII se presentan en Barcelona, en el Monasterio de Pedralbes, la mayor parte de las obras se exhiben en Madrid en el Palacio de Villahermosa. Gracias a la generosidad de los propietarios, este número inicial de obras se ha visto incrementado por un préstamo adicional formado por cuadros, esculturas y objetos artísticos que enriquecen aún más los fondos expuestos.

El Palacio de Villahermosa, construido entre finales del siglo XVIII y comienzos del XIX, es un buen ejemplo de la arquitectura neoclásica madrileña. Adquirido por la Banca López Quesada, fue objeto de una remodelación drástica en los años setenta de nuestro siglo; respetándose las fachadas neoclásicas, se construyó el interior totalmente de obra nueva para uso de oficinas. El edificio, propiedad ahora del Estado español, ha sido acondicionado de nuevo por el arquitecto Rafael Moneo para adaptarlo a sus nuevas funciones museísticas. Además de las instalaciones de climatización, iluminación y seguridad requeridas por este nuevo uso, el proyecto de Rafael Moneo ha dado al edificio un nuevo esquema de circulación y distribución de espacios. Las salas, dispuestas en torno a un largo patio central cubierto, son de dimensiones variadas, alineándose las mayores perpendicularmente a la fachada del Paseo del Prado. El resultado es una arquitectura interior que, aunque de ningún modo renuncia a su condición moderna, evoca el carácter palaciego y la planta clásica de los museos y galerías de pintura anteriores al siglo XX. En el primer sótano se encuentran la cafetería, las salas de exposiciones temporales y el salón de actos.

En la planta baja el gran patio central, el vestíbulo, la librería y el guardarropa. El resto de esta planta, así como la práctica totalidad de las otras dos del edificio, se destinan a exponer la colección permanente.

Aunque contiene también esculturas y otros tipos de obras de arte, la Colección Thyssen-Bornemisza es sobre todo una colección de pintura. Se ha instalado con el propósito de estimular en el visitante la afición a este arte mediante la contemplación de cuadros que ilustran su desarrollo histórico desde finales del siglo XIII hasta nuestros días.

La menor altura de sus muros y la posibilidad de iluminar cenitalmente con luz natural las salas de la segunda planta han aconsejado situar en ella las pinturas más antiguas, generalmente de menor formato. El visitante que desee ver la colección por orden histórico deberá pues cruzar el patio central y subir por los ascensores o la escalera principal hasta esa planta. El orden de numeración de las salas indica el recorrido sugerido, que se hace girando siempre por la derecha en torno al patio central y bajando a la inferior una vez concluída la visita a cada una de las plantas.

En la instalación se ha procurado dar a las salas la máxima unidad estilística posible; cada una de ellas responde, por así decirlo, a un capítulo de la historia del arte.

NOTA.- Dentro de la guía, la información técnica que aparece sobre la obra se ha reducido al mínimo. Cuando por primera vez se menciona a un artista representado en la Colección aparecen, entre paréntesis y después del nombre, las fechas de nacimiento y muerte. En algunos casos, los títulos de las obras que se citan en el texto se encuentran en forma abreviada. Al mencionarlas se da su número de catálogo bajo la forma de Cat. nº x. La letra A que a veces aparece en esas menciones, como por ejemplo Cat. A.x, designa las obras pertenecientes al préstamo adicional mencionado más arriba. Los datos completos de la obra como son la fecha de ejecución, técnica, dimensiones y número de catálogo quedan reflejados en la relación de obras que se publica al final del libro.

PLANTA SEGUNDA

1 Primitivos italianos

Vasari, artista e historiador del arte que vivió en Florencia en el siglo XVI, narra la historia de los que hoy denominamos "primitivos italianos", maestros de los siglos XIII al XV, como la de un nuevo renacimiento de la pintura.

En opinión de Vasari las artes visuales habrían alcanzado su primera culminación en la Antigüedad Grecorromana y habrían decaido a partir del hundimiento del Imperio Romano. La causa de la decadencia habría sido el alejamiento de la naturaleza, que Vasari ejemplifica con la perduración del estilo bizantino; la vuelta a la naturaleza, que empieza a ponerse de manifiesto con Giotto, sería, para el historiador italiano, el signo de un renacimiento de las artes.

El visitante podrá apreciar el contraste entre los estilos que eran para Vasari antiguo y nuevo respectivamente si compara la *Virgen y el Niño* (Cat. nº 256) del Maestro de la Magdalena (activo en la segunda mitad del siglo XIII) con el *Cristo y la Samaritana* (Cat. nº 133) de Duccio de Buoninsegna (activo hacia 1278-1319). Menos de veinte años separan las fechas de estas dos obras, ambas realizadas en Toscana en torno al 1300, que reflejan sin embargo dos maneras radicalmente diferentes de entender la pintura. En la primera el pintor presenta las figuras sagradas frontalmente como si estuvieran dispuestas en una hornacina. En la segunda trata de hacer ver una historia (que el espectador ha oido o leido en el Evangelio) y para ello coloca las figuras en una especie de escenario dotado de profundidad espacial. La primera manera, la antigua, requiere del pintor que domine (como cualquier otro artesano) un repertorio limitado de figuras, trazos, formas y colores. Las convenciones que definen este repertorio dejan poco margen para la innovación. La segunda manera exige en cambio un esfuerzo continuado de ampliación del repertorio mediante elementos (figuras humanas, edificios, objetos de uso cotidiano, ropajes, gestos, expresiones faciales, etc.) que el artista debe extraer de la observación de la naturaleza. El criterio de perfección en el primer caso está predeterminado de antemano; en el segundo queda abierto a un proceso continuo de invención. Ha nacido el artista en el sentido que hoy damos al término.

La necesidad de que el cuadro sea coherente, a pesar de que se representen en él esa multitud de elementos dispares no predeterminados, da origen al concepto de *composición:* la habilidad o arte de conseguir que cada una de las partes o elementos del cuadro se subordine al fin o efecto principal deseado por el artista.

133. Duccio di Buoninsegna
Cristo y la Samaritana, 1310-11

Temple sobre tabla. 43,5 x 46 cm.

Imitación de la naturaleza, expresividad narrativa, profundidad espacial y composición son los nuevos fundamentos sobre los que se irá constituyendo el arte de la pintura. Su grado de desarrollo, el mayor o menor énfasis que se dé a unos respecto de otros, y la idiosincrática manera de entenderlos, permitirá caracterizar y distinguir entre sí períodos históricos, escuelas y artistas individuales.

Así, dentro del ámbito toscano en el que se desarrolla la corriente principal de los primitivos italianos, cabe distinguir entre la escuela florentina y la sienesa. La primera, protagonizada por Giotto y sus discípulos, entiende la composición como contraposición y equilibrio de cuerpos, masas, volúmenes y gestos (como por ejemplo en la *Crucifixión* (Cat. nº 151) de Agnolo Gaddi activo c. 1369-1396).

15

Para la escuela sienesa, en cuyo origen se situan, junto a Duccio, Simone Martini, Pietro Lorenzetti y Ugolino de Nerio, la composición es sobre todo cuestión de armonizar el color, caracterizado por el contraste entre tonos densamente saturados, y el dibujo, caracterizado por una línea fluida y estilizada. Si la corriente florentina habría de triunfar a la larga, sobre todo gracias al desarrollo de la perspectiva en el siglo XV, la escuela sienesa ejerció una influencia mayor e inmediata. Se extendió en el siglo XIV a otras zonas de Italia como puede verse en la *Crucifixión* (Cat. nº 425) de Vitale de Bolonia, (c. 1300-1359/61). Combinada con la inclinación por la fantasía narrativa y el énfasis sentimental, contribuyó decisivamente a constituir en el último cuarto del siglo XIV el estilo llamado gótico internacional. Su vigencia se mantuvo en algunos casos hasta la segunda mitad del siglo XV, como se aprecia en *Santa Catalina ante el Papa en Avignon,* (Cat. nº 162), del pintor sienés Giovanni di Paolo (antes de 1400-1482).

162. **Giovanni di Paolo**
Sta. Catalina ante el Papa en Avignon, c. 1460

Temple sobre tabla. 29 x 29 cm.

425. **Vitale de Bolonia**
La Crucifixión, c. 1335

Temple sobre tabla. 93 x 51,2 cm.

17

El Gótico Internacional, un estilo pictórico homogéneo, en el que las fórmulas italianas, sobre todo sienesas, se combinaban con distintos caracteres estilísticos regionales, se difundió por toda Europa desde finales del siglo XIV. Su predominio comenzó a ponerse en cuestión con el primer Renacimiento, hacia el primer tercio del siglo XV. Pero la revolución renacentista, iniciada en algunas ciudades italianas y de los Países Bajos, se extendió lentamente y hubo que esperar al siglo XVI, y en algunos países a sus postrimerías, para que alcanzara a la totalidad de las tierras europeas.

Los relieves tallados en marfil que se muestran aquí son un buen ejemplo de gusto gótico. Estas pequeñas obras, cuya ejecución requería un oficio muy depurado, eran altamente apreciadas. Las fórmulas narrativas usadas para componer las escenas que en ellas se representan, pasajes casi siempre de las Sagradas Escrituras, ilustran perfectamente las convenciones de la época.

Las pinturas más antiguas de esta sala datan de mediados del siglo XIV, un tiempo en que las fórmulas góticas no eran todavía un idioma pictórico uniforme y universal. Así se explica la singularidad estilística del *Tríptico de la Santa Faz* (Cat. nº 44), obra del maestro Bertram (c. 1330/40-1414), artista que trabajó en el área de Hamburgo.

A lo largo del siglo XV, al tiempo que se incrementaba la riqueza de las ciudades, las exigencias del culto religioso promovieron una demanda artística cada vez mayor. Como consecuencia de esta expansión el lenguaje pictórico del Gótico fue diversificándose en diferentes escuelas regionales y locales. Al final de este ciclo estilístico pertenecen las ocho tablas dedicadas a los cuatro evangelistas (Cat. nos 233 a 240), pintadas en el último tercio del siglo XV. Su autor, Gabriel Mäelesskircher (c. 1430/40-1495), fue un artista afincado en Munich en cuyo taller se formó Michael Wolgemut, quien más tarde sería maestro de Durero.

Dentro de la sala la obra más representativa del Gótico tardío, y la de más calidad, es la *Anunciación de la Virgen* (Cat. nº 210), de Johann Koerbecke (c. 1420-1490). Realizada poco antes de 1457, esta tabla procede de un retablo del monasterio cisterciense de Marienfeld. Su autor trabajó en el área de Münster, ciudad que había de ser escenario, apenas dos generaciones más tarde, de uno de los episodios más exaltados y sangrientos de la reforma religiosa. En la expresividad intensa y elegante de rostros y gestos, en el colorido suntuoso de los ropajes, en la composición flamígera y la crepitación sinuosa de las líneas resplandece, con todo su esplendor, lo que Huizinga denominó otoño de la Edad Media.

210. Johann Koerbecke
La Asunción de la Virgen, antes de 1457

Óleo sobre tabla. 93,1 x 64,2 cm.

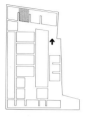

Asentado en un entorno social similar y condicionado por un clima cultural parecido, el Renacimiento pictórico de los Países Bajos comparte con el italiano un imperativo artístico básico: la imitación de la naturaleza. Las diferencias conciernen a la manera de aplicar este imperativo: abstracta y metódica, la pintura del primer Renacimiento italiano se concentrará en la conquista del espacio y culminará con el desarrollo de la perspectiva geométrica; la neerlandesa, táctil y temperamental, se entregará a la fascinación por las particularidades distintivas de las cosas.

El caracter sistemático del renacimiento italiano permitió que se desarrollara como un programa relativamente impersonal y con un sentido claro del progreso. En el caso de los Países Bajos el sentido de progreso es mucho menos claro y el programa lo definen, con sus estilos personales, los grandes maestros: conforme nos vamos alejando de ellos o de sus talleres nos acercamos al trasfondo gótico generalizado de la época.

El primero de estos maestros es Jan van Eyck (c. 1390-1441), padre mítico de la pintura neerlandesa. El díptico de la Colección Thyssen Bornemisza tiene como tema *La Anunciación* (Cat. nº 137). El artista ha decidido presentar al ángel, a la Virgen y al Espíritu Santo, no directamente, sino por medio de su aparente trasunto escultórico. Elegantemente dispuestas y proporcionadas, finamente modeladas, imbuidas de una hermosura a la que ningún ser vivo podría aspirar, las figuras se relacionan sin formar verdaderamente un grupo. Parecen labradas en altorrelieve, en una piedra que bajo la luz rinde los tonos de ciertas platas viejas, sobre un plano de fondo formado por otra piedra negra que nos devuelve el reflejo de las figuras mismas. La reproducción de la apariencia visual es tan prodigiosa que se puede determinar con exactitud el tipo de caliza representada.

Acompañando a esta obra maestra se presentan en esta sala otras pinturas de temática religiosa del siglo XV neerlandés. Forman un conjunto excepcional, tanto por su calidad como por su repre-sentatividad. Entre las más importantes deben mencionarse dos, pintadas por Jacques Daret (activo entre 1418 y 1468) y Roger van der Weyden (c. 1399-1464) respectivamente, ambos discípulos de Robert Campin. Del primero es una hermosa escena de *Adoración del Niño* (Cat. nº 124), pieza integrante del conjunto destinado a la abadía de Saint Vaast en Arras, única obra documentada del artista. De su contemporáneo Van der Weyden se expone una *Virgen entronizada* (Cat. nº 435), tan diminuta en sus dimensiones como monumental en su apariencia.

También de pequeñas dimensiones es otra de las obras maestras de la colección, la *Virgen del Árbol Seco* (Cat. nº 121) de Petrus Christus (h. 1410-1472/73). El asunto representado supone una metáfora teológica basada en el Antiguo Testamento. La Virgen, portadora del Mesías, es como un retoño florido con el que Dios hace reverdecer el árbol seco del pueblo elegido. De las ramas cuelgan quince letras "A" de oro, que simbolizan otras tantas Avemarías; la pequeña tabla podía ser usada por el devoto como un rosario en miniatura.

Al último tercio del siglo pertenecen otras cuatro obras de altísima calidad. La severa y sentida *Piedad* (Cat. nº 142) de Juan de Flandes (activo entre 1496 y 1519) fue pintada en España. En el tríptico del mismo tema (Cat. nº 252) del Maestro de la Leyenda de

137 a y b. **Jan van Eyck**
Díptico de la Anunciación, c. 1435-41

Tabla. Cada ala 39 x 24 cm.

Santa Lucía (activo c. 1475-c. 1501) la trágica elocuencia que el artista había aprendido de su maestro Van der Weyden se suaviza con los aires italianizantes que se hacen sentir en Brujas por esos años. En contraste con esta obra la *Crucifixión* (Cat. nº 270) del Maestro de la Virgo inter Virgines (activo entre 1480 y 1495), ofrece, con su composición abigarrada, su colorido exacerbado y su densidad narrativa, un magnífico testimonio de la pervivencia del gusto gótico en las regiones periféricas de los Países Bajos. También arcaizante, aunque en un sentido muy distinto, es el no menos magnífico *Calvario* (Cat. nº 125) de Gerard David (c. 1460-1523). El más italianizante y último de los maestros pintores de la edad de oro de Brujas vuelve deliberadamente su mirada atrás para evocar la manera espléndida de los Van Eyck, Campin y Van der Weyden.

124. **Jacques Daret**
La Adoración del Niño, 1434-35
Óleo sobre tabla. 60 x 53 cm.

121. **Petrus Christus**
La Virgen del árbol seco, c. 1450

Óleo sobre tabla. 17,4 x 12,3 cm.

4 El Quattrocento italiano

La obra más antigua de las que se presentan en esta sala es una *Crucifixión* napolitana que debemos por ahora considerar anónima (Cat. nº 94). La intensidad trágica de las expresiones, la densidad del color y la fluidez de la pincelada revelan una fuerte impronta flamenca. Por otra parte, la rotunda disposición de las figuras en el espacio y la nitidez con que se extienden en profundidad la ciudad y las colinas que la rodean son indudablemente italianas. Atribuida durante un tiempo a Colantonio, el maestro de Antonello de Mesina, los especialistas la consideran ahora obra de algún maestro francés o flamenco, todavía por determinar, que debió trabajar en Nápoles durante el reinado de Alfonso V el Magnánimo.

Un grupo significativo de las pinturas reunidas aquí se adscribe a la escuela de Ferrara, ciudad cuya corte ducal fue un importante foco literario y artístico durante la segunda mitad del siglo XV y primeras décadas del siglo XVI. De Ercole de' Roberti (c. 1450-1496), uno de los más destacados artistas ferrareses, es una bella escena de la expedición de los Argonautas extraida de Ovidio (Cat. nº 344). La representación pictórica de un asunto mitológico en fecha tan temprana sólo puede imaginarse en el ámbito minoritario del humanismo cortesano.

El papel destacado de la escuela de Ferrara, así como la presencia de algún artista del Veneto (Zoppo, 1433-1478 y Alvise Vivarini, c. 1445-c. 1505) son coherentes con la magnífica representación que se ofrece en la sala 7 de la pintura veneciana de comienzos del siglo XVI. Sin embargo, la obra más importante que se muestra aquí apunta en otra dirección. Pintada probablemente en la última década del siglo ofrece aquella síntesis de perspectiva, dibujo, volumen y color que Durero había de admirar por esos mismos años en Giovanni Bellini. Pero nada hay de veneciano en este *Cristo resucitado* (Cat. nº 61) tan magistralmente idealizado como inolvidablemente tangible y presente. Atribuido durante un tiempo a Bramante, la crítica se inclina ahora por su discípulo, Bartolomeo Suardi, llamado El Bramantino (c. 1465-1530). Si se compara con la *Crucifixión* napolitana mencionada más arriba, podrá advertirse el progreso realizado en el camino que se había abierto cuatro décadas antes gracias a la convergencia de la pintura italiana y la flamenca: estamos en el umbral del Alto Renacimiento.

61. Bramantino

Cristo resucitado

Óleo sobre tabla. 109 x 73 cm.

5 El retrato en el primer Renacimiento

La relación entre la invención del retrato y el curso del Renacimiento no tiene nada de accidental. La primera función de la pintura medieval era presentar acciones y personajes de los textos sagrados o devotos: se trataba de hacer ver, en representación, lo que de otro modo, en la realidad cotidiana, no era posible ver. Dar a la pintura como objetivo la representación, no ya de lo sobrenatural o maravilloso, sino de la realidad cotidianamente visible, supone un cambio cultural muy importante.

Por otra parte, el hecho de que el retrato fuera el primero, cronológicamente y en orden de importancia, de los temas seculares de la pintura renacentista puede tomarse como síntoma del cambio profundo de valores que el Renacimiento trajo consigo. Es precisamente éste el cambio al que apuntaba Jacob Burckhardt cuando hizo del desarrollo del individuo uno de los temas fundamentales de su famoso ensayo, publicado en 1860, *La Cultura del Renacimiento en Italia*.

Esto no obsta para que el retrato no sirviera también para fines prácticos diversos. Durante mucho tiempo estuvo asociado a la pintura religiosa: quienes encargaban y pagaban un retablo o por ejemplo, podían hacerse retratar como espectadores devotos de la escena sobrenatural representada. Es difícil imaginar que en estos casos no hubiera, junto a los sentimientos religiosos, un deseo de los comitentes de dejar constancia visual, para los contemporáneos y quizá para la posteridad, de su identidad y apariencia. Habiéndose llegado a este punto, la eficacia de la pintura para dejar constancia visual de la apariencia y carácter de las personas podía servir también a otros propósitos. El retrato de esponsales es un buen ejemplo de ello. Los matrimonios se concertaban a veces por razones políticas y económicas sin que los futuros contrayentes se conocieran ni hubieran llegado a verse nunca. En esas circunstancias, los padres o intermediarios recurrían a veces a la ayuda de un pintor para disipar la comprensible preocupación de los futuros esposos. A finales del siglo XV el hábito cultural del retrato de esponsales se extiende y se transforma, dando origen, en algunos países europeos, al retrato doble hecho para conmemorar el matrimonio. En otros casos, por ejemplo en Venecia, el comitente podía encargar simplemente el retrato de la persona amada.

Con la dualidad de personalidad y apariencia física, el aspecto visible y el aspecto espiritual de la belleza, juega el epigrama latino del poeta Marcial inscrito en el retrato que de *Giovanna Tornabuoni* (Cat. nº 158) hizo en 1486 el pintor florentino Domenico Ghirlan-

18. Antonello da Messina
Retrato de un hombre, c. 1475-76

Óleo sobre tabla. 27,5 x 21 cm.

74. Robert Campin
Retrato de un hombre robusto
(¿Robert de Masmines?), c. 1425 (?)

Óleo sobre tabla. 35,4 x 23,7 cm.

284a. Hans Memling
Retrato de un hombre joven orante, c. 1485

Óleo sobre tabla. 29 x 22,5 cm.

141. Juan de Flandes
Retrato de una Infanta
(¿Catalina de Aragón?), c. 1496

Óleo sobre tabla. 31,5 x 22 cm.

El retrato
en el primer Renacimiento

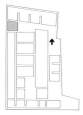

daio (1449-1494): "Si el artista hubiera podido retratar (aquí) el caracter y las prendas morales, no habría pintura más bella en la tierra". Dejando aparte lo que hay en ella de convención social y de juego, en el fondo de esa elegante cita latina late algo que interesa tener en cuenta: la convicción del hombre renacentista de que debe haber una correspondencia profunda entre perfección física y perfección espiritual. Finalmente es esta convicción la que explica la enorme importancia que el arte alcanza en el Renacimiento: captando una belleza, la física, por medio de la pintura como en un espejo, podría alcanzarse de algún modo, también como en un espejo, la espiritual.

Ese espejo de belleza que es el retrato de *Giovanna Tornabuoni* se presenta en esta sala acompañado por otros doce retratos magistrales del primer Renacimiento: cinco flamencos, cinco italianos, uno alemán y uno hispanoflamenco.

El más antiguo de los flamencos y el más antiguo de los italianos no deberían quizá considerarse propiamente retratos. El *Monje con una Cruz* (Cat. nº 30), pintado por Domenico Veneziano (1400/10-1461) en la década de 1440, representa, según una hipótesis probable, a San Felipe Benizzi, general de la Orden de los Servitas fallecido a finales del siglo XIII. Es inimaginable que el pintor pudiera haber tenido acceso a la semblanza visual del retratado; probablemente acudió a algún contemporáneo que le sirvió de modelo. Es razonable en cambio suponerlo en el caso del *Retrato Póstumo de Wenceslao, Duque de Brabante,* (Cat. nº 11), pintado en torno a 1405, aunque el retratado hubiera fallecido en 1383. Su semblanza se conservó seguramente por medio de dibujos. La comparación entre esta obra y la de Domenico Veneziano, realizada casi cuatro décadas más tarde, muestra cuánto más desarrollado estaba en la primera mitad del siglo XV el arte del retrato en los Países Bajos que en Italia.

La confirmación más rotunda de esta superioridad nos la da el *Retrato de Robert de Masmines,* (Cat. nº 74) de Robert Campin (c. 1375-1444) fechado antes de 1430. En esta obra, anterior en algunos años al Díptico de la Anunciación de Van Eyck *(Vid.* sala 3), el gran maestro ha construido la cabeza del militar borgoñón con la exactitud obsesiva de quien hace un instrumento de alta precisión.

ARS VTINAM MORES
ANIMVMQVE EFFINGERE
POSSES PVLCHRIOR IN TER
RIS NVLLA TABELLA FORET
MCCCCLXXXVIII

158. **Domenico Ghirlandaio**
Retrato de Giovanna Tornabuoni, 1488

Tabla. 77 x 49 cm.

El retrato
en el primer Renacimiento

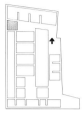

Para encontrar en Italia un retrato cuya calidad no palidezca por comparación con el de Campin hay que esperar al período más brillante de Antonello de Mesina (c. 1430-1479), su estancia veneciana durante los años setenta (Cat. nº 18). Lo poco que esta cabeza de joven italiano cede en exactitud, frente a la obra prodigiosa del maestro flamenco, lo gana quizá en arquitectura y claridad volumétrica. Y por supuesto en el tratamiento de la luz. Pero son otros años; la técnica de la pintura al óleo se ha enriquecido y el gusto de los coleccionistas y aficionados a la pintura ha ido variando. En ese último tercio del siglo XV también Flandes, y más concretamente Brujas, puede ofrecernos por obra de los pinceles de Memling, (c. 1435-1494), artista de la misma generación que Antonello, otro retrato magistralmente iluminado. Con mayor precisión de color, incluso, y bañado en todo caso por una luz más delicada que el de Antonello, aunque deba cederle en precisión volumétrica y quizá en rotundidad (Cat. nº 284).

La selección de retratos atesorada en esta sala concluye con dos obras maestras fechadas ya en el siglo XVI, son las efigies de dos personajes contemporáneos y pertenecientes respectivamente a las casas reinantes de Castilla y de Inglaterra. Estilísticamente son tablas conservadoras. En ambas revive el gran estilo flamenco de la primera mitad del siglo anterior, tamizado en el caso de la *Infanta de Castilla,* de Juan de Flandes (Cat. nº 141) por una suave melancolía y una paleta personalísima, y en el caso del *Rey Enrique VIII* (Cat. nº 191) de Hans Holbein (1497/8-1543) por el deseo de expresar el esplendor cortesano de un monarca culto, poderoso, rico y joven. Realizadas en una época en que la pintura en Florencia, Roma y Venecia se abría hacia nuevos horizontes, estas dos obras concluyen espléndidamente uno de los capítulos más fascinantes de la historia de la pintura.

191. Hans Holbein El Joven
Retrato de Enrique VIII de Inglaterra, c.1534-36

Óleo sobre tabla. 28 x 20 cm.

Paralelamente a las llamadas artes mayores, como tradicionalmente se ha considerado a la pintura o a la escultura, se han
desarrollado las artes menores o decorativas. Sus creaciones han
reflejado una parte significativa de la historia del arte, quizá la más
sensible a la influencia de las modas y de los cambios de gusto.

En el caso de la orfebrería alemana que adorna esta galería, su
cronología permite seguir la difusión del gusto renacentista germá-
mico. Merece destacarse la llamada *Copa Imhoff* (Cat. nº 082) que
porta el emblema de esta familia afincada en Nuremberg, un león
con cola de pez. El maestro Hans Petzolt (1551-1633) ha cincelado
con gran virtuosismo en el cuerpo central de la copa seis escenas
en las que se representan faenas específicas de minería. A ellas hay
que añadir representaciones alegóricas de los cuatro elementos y de
las cuatro estaciones en el pie y en la tapa de la copa. Por la riqueza
del trabajo y el colorido que aportan las gemas merece subrayarse
también una copa de pie hexagonal (Cat. nº 081) de extraordinaria
calidad coronada por un guerrero. Su autor, Veit Moringer, maestro
desde 1535, emplea una decoración de desarrollo vertical inspirán-
dose para algunos de sus relieves en los grabados que circulaban
ampliamente en la época.

Entre los motivos de la Antiguedad clásica y que en su tiempo
impresionaron por su fuerza a los artistas del Renacimiento se
encuentra el famoso grupo de Laocoonte, descubierto en Roma en
1506. El tema es el asunto con que Pierre Reymond (activo entre
1534 y 1578) decora un gran plato (Cat. E13) de esmalte de Limoges
que remata, en sus bordes circulares, con grutescos enlazados con
máscaras, todo ello dentro del más característico gusto manierista.

En el campo de la escultura debemos detenernos en el grupo
de la *Anunciación* (Cat. S50. 1-2) obra del escultor y arquitecto
Jacopo Sansovino (1486-1570) . Nacido en Florencia y activo en
Roma hasta 1527, tras el saqueo de esta ciudad se trasladó a Venecia,
donde entabló una estrecha amistad con Tiziano y llegó a convertirse en el principal arquitecto de la ciudad. Ejecutada probablemente en la década de los 30, la hermosura de sus proporcio-
noes y su elegancia de dibujo hacen de esta obra un magnífico
ejemplo de la madurez del Renacimiento veneciano.

081. Veit Moringer
Copa de pie hexagonal, c.1555-60

Plata sobredorada. Altura: 35 cm.

E13. **Pierre Raymond**
Plato con el Laocoonte

Esmalte sobre cobre. Ø 40,5 cm.

082. **Hans Petzolt**
Copa Imhoff, 1626

Plata sobredorada. Altura: 54,3 cm.

S50. 1-2. **Jacopo Sansovino**
Grupo de la Anunciación, c. 1535

Terracota policromada. Altura: 85 cm.

7 Pintura italiana del siglo XVI

Ninguna escuela ni época artística ha ejercido una influencia comparable a la del Alto Renacimiento, Su principal centro fue Roma, aunque la actividad que allí desarrollaron artistas, humanistas y mecenas florentinos fue determinante para la síntesis renacentista. Las fórmulas artísticas del Alto Renacimiento, se extendieron desde Italia al resto de Europa y acabaron por convertirse en el modelo clásico por excelencia para la enseñanza de la pintura, la escultura y la arquitectura.

Sin embargo, la riqueza del siglo XVI italiano, no se agota con el clasicismo romano; la escuela veneciana, cuya actividad se extiende sin decaer a lo largo de los tres primeros cuartos del siglo, ejercerá sobre la posteridad, en el campo específico de la pintura, una influencia intermitente, pero tan fecunda al menos como la romana.

A estas dos corrientes principales habría que añadir, si se quisiera hacer un cuadro general, la compleja trama del Manierismo, que sucede al Alto Renacimiento en Roma, Florencia y otras regiones de la península, así como el nuevo clasicismo boloñés, que surge en el último cuarto de siglo.

Las obras reunidas en esta sala ofrecen un panorama indicativo de la riqueza de la pintura italiana durante el siglo XVI.

Conviene destacar en primer lugar el *Joven Caballero en un Paisaje* (Cat. nº 82) del veneciano Victor Carpaccio (c. 1460/65-1525/26), obra emblemática de la Colección. Considerada generalmente como un retrato, ignoramos la identidad de la persona representada. También se nos escapa el significado preciso de los animales, plantas y demás figuras alegóricas que pueblan el paisaje del fondo. Es posible que tenga relación con alguna situación o acción pública o militar de la época. En todo caso no parece aventurado suponer que el propósito del artista y de quien hizo el encargo era representar a la persona retratada como encarnación de un joven caballero cristiano ornado de todas las virtudes y cualidades que las novelas de caballerías de la época, atribuían a sus héroes. Se trata seguramente de una de las mejores obras de Carpaccio, pintor dotado en grado extraordinario para evocar el imaginario colectivo de su época. Realizada en 1510, tiene una mayor afinidad estilística con la pintura del siglo anterior que con la del nuevo. Es fácil advertirlo comparándola con la *Anunciación* (Cat. nº 38) de Gentile Bellini (1429-1507), fechada en torno a 1470 y que se ha preferido exponer en esta

82. **Vittore Carpaccio**
Joven caballero en un paisaje, 1510
Óleo sobre lienzo. 218,5 x 151, 5 cm.

Pintura italiana
del siglo XVI

sala precisamente por su relación con la obra de Carpaccio de quien Gentile fue maestro.

Si la escuela de Gentile Bellini es importante para entender la pintura veneciana de comienzos de siglo, pero carece de continuidad tras la muerte de Carpaccio, la de su hermano Giovanni (c. 1430-1516) es la cabecera de la corriente principal, que se extiende prácticamente hasta final de siglo. De Giovanni Bellini es la *Sagrada Conversación* (Cat. nº 39) que se exhibe aquí, obra que los especialistas tienden a datar diversamente, aunque casi todos dentro de la primera década del siglo. La frontalidad, trabazón interna y estatismo de la composición, así como la amplitud de las formas, evocan los valores formales de los bajorrelieves romanos. Esta pintura revela el nuevo clasicismo que Giovanni Bellini introduce en Venecia en 1505 con el gran retablo de la Iglesia de San Zacarías y que será el punto de partida de sus discípulos Giorgione (c. 1476/8-1510), Sebastiano del Piombo y Tiziano. En cualquier caso, el grado de abstracción psicológica de los personajes, la suavidad del paisaje y la incipiente disolución de los volúmenes para conseguir un colorido más encendido y transparente, evocan fechas tardías en la obra del artista.

Aunque realizado en Roma en torno a 1511 ó 1512, el *Retrato de Ferry Carondolet* (Cat. nº 309), uno de los mejores de Sebastiano del Piombo (c. 1485-1547), está todavía cargado de reminiscencias venecianas. La monumentalidad de la composición y de la volumetría apuntan al clasicismo introducido por Bellini y seguido en el taller de Giorgione, en el que Sebastiano había trabajado durante el segundo lustro del siglo.

También Palma El Viejo (c. 1480-1528) había sido discípulo de Giovanni Bellini, de él toma el prototipo de la *Sagrada Conversación* (Cat. nº 309) que se muestra aquí. La obra, realizada hacia 1522, seis años después de la muerte del maestro, está compuesta con mayor variedad y movimiento, en consonancia con el nuevo gusto que había impuesto Tiziano, con las grandes pinturas de la Iglesia de Santa María Gloriosa. También próximo a Tiziano (le estuvo atribuido durante mucho tiempo) es el retrato llamado *"La Bella"* (Cat. nº 310) que se exhibe en la sala 6. Palma debió pintarlo en torno a 1525. No conocemos la identidad de la retratada; pero conviene observar que en la Venecia de la época se pintaban y compraban a veces retratos sin otra razón que la belleza o esplendor visual de la pintura.

369. Sebastiano del Piombo
Retrato de Ferry Carondolet con sus secretarios, 1510-12

Óleo sobre tabla. 112,5 x 87 cm.

330. Rafael
*Retrato de un adolescente
(¿Alejandro de Medicis?), c. 1515*

Óleo sobre tabla. 43,8 x 29 cm.

145. Pierfrancesco di Jacopo Foschi
Retrato de una dama, 1530-35

Óleo sobre tabla. 101 x 79 cm.

310. Palma el Viejo
*Retrato de una mujer joven llamada
"La Bella", c. 1525*

Óleo sobre lienzo. 95 x 80 cm.

Pintura italiana
del siglo XVI

El arco cronológico de la pintura veneciana de esta sala concluye con otro cuadro pintado por Tiziano (c. 1490-1576) en torno a 1555. Se trata del retrato oficial del Dogo *Francesco Vernier* (Cat. nº 405). Aunque el esquema compositivo ha variado poco en relación con el que hemos visto en Sebastiano, anterior en casi medio siglo, la manera de estar pintado es totalmente diferente: no hay ya aquí grandes planos de color como los que caracterizan a la pintura veneciana de las dos primeras décadas del siglo, y aunque la paleta se ha reducido, las tierras oscuras, el púrpura y el oro se fragmentan en una infinidad de tonalidades diversas. En la sala 11 se pueden contemplar los resultados de esta revolución pictórica.

Fuera ya de la escuela veneciana, la mejor representada en esta sala, dos interesantes composiciones de Piero de Cosimo (1461/62-1527), y Fra Bartolomeo, (1472-1517) (Cat. nºs 320 y 29 respectivamente) nos llevan a la Florencia de comienzos de siglo. Sin embargo, la obra más destacada procede de Roma; se trata del retrato de un adolescente pintado por Rafael (1483-1520) hacia finales de la segunda década (Cat. nº 330). Si la perfección del dibujo y la sutileza del colorido son características de la síntesis rafaelesca, la espontaneidad y gracia de ejecución de esta obra, nos vuelven a recordar las cualidades venecianas que parecen haber influido sobre el maestro en los últimos años de su vida.

Tras la culminación del Alto Renacimiento la pintura italiana sufre los efectos de un profundo cambio de rumbo, que en la historiografía moderna recibe la denominación de Manierismo. Tres importantes obras reunidas aquí, nos permiten apreciar las características del nuevo estilo. *La Virgen y el Niño con San Juan Bautista y San Jerónimo* (Cat. nº 33) del pintor sienés Domenico Beccafumi (1486-1551) es quizá la más espectacular; la composición apretada y contrastante, la sinuosidad de las líneas y sobre todo el colorido de esta obra pueden entenderse como síntomas de la fiebre innovadora por la que atraviesa la pintura italiana a partir de la tercera década de siglo. Las deformaciones de la perspectiva y la atmósfera, encendida y al mismo tiempo contenida, de *un Joven como San Sebastián* (Cat. nº 64) de Bronzino (1503-1572), o la fría elegancia y artificiosos juegos geométricos de *Retrato de una Dama* (Cat. nº 145) de Pierfrancesco Foschi (1502-1567) nos muestran otras facetas del cambio manierista.

33. **Domenico Beccafumi**
La Virgen y el Niño con San Juan y San Jerónimo, c. 1523-24

Óleo sobre tabla. Diámetro 85,5 cm.

8-9 Pintura alemana del siglo XVI

Las corrientes góticas comentadas en la sala 3 siguen asentadas todavía a finales del siglo XV en las tierras germánicas. Buenos ejemplos de ello pueden verse en las obras del anónimo activo en Düren (Cat. nº 259) y del Maestro de Grossgmain (Cat. nº 250). A esta pervivencia del gótico se superpone la lenta penetración de los influjos flamencos e italianos. Así, en la *Virgen y el Niño con las Santas Margarita y Catalina* (Cat. nº 308), obra de un seguidor de Michael Pacher (1430/35-1498), el dominio de la perspectiva y la elegancia casi ferraresa de las figuras conviven con un tradicional fondo gótico de oro.

El característico tradicionalismo de la pintura religiosa germánica de comienzos del siglo XVI, puede explicarse, quizás, por el hecho de que su base social se encuentra en la pequeña burguesía urbana. Sin embargo, este conservadurismo estilístico es compatible con obras de un excelente oficio y enorme impacto visual, como debió serlo el espectacular *Calvario* de Derick Baegert (c. 1440-c. 1515). Esta obra fue desmontada y ulteriormente troceada, dispersándose los fragmentos; lo que de ella ha llegado hasta nuestros días son las cinco tablas que se exhiben en estas salas (Cat. nº 22-26) pacientemente reunidas a lo largo de los años 30 en la Colección Thyssen-Bornemisza.

Otras destacadas obras de temática religiosa expuestas aquí son el expresivo *Anuncio a Santa Ana* (Cat. nº 380) de Bernhard Strigel (1460-1528) y el *Tríptico del Rosario Celestial* (Cat. nº 212.a-c) de Hans Kulmbach (c. 1485-1521) obra en la que el artista superpone una composición que se esfuerza por ser clásica a un tema tratado medievalmente de forma alegórica. En *Adoración del Niño* (Cat. nº 69) de Barthel Bruyn el Viejo (1493-1555) los elementos estilísticos italianizantes se funden con un aire neerlandés, más claramente perceptible todavía en sus retratos de un hombre y una mujer (Cat. nº 67 y 68). Una parecida fusión de lo italiano con lo neerlandés puede advertirse en la *Virgen con el Niño y un racimo de uvas* (Cat. nº 114) de Lucas Cranach el Viejo (1472-1553). Pintada en la primera década de siglo, la intensidad del color y la expresividad del paisaje relacionan esta obra con el estilo de la llamada Escuela del Danubio.

Por encima de todos ellos sobresale Durero (1471-1528), figura clave del Renacimiento alemán. Su tabla *Jesús entre los doctores* (Cat. nº 134), fechada en 1506 , fue pintada en Italia en el brevísimo tiempo de cinco días, según consta en una inscripción

114. Lucas Cranach el Viejo
La Virgen y el Niño con un racimo de uvas, c. 1509-10

Óleo sobre tabla. 71,5 x 44,2 cm.

Pintura alemana
del siglo XVI

que figura junto a la firma. La variedad de figuras y la novedad de la composición le dan un aire de desafío, como si Durero, estimulado por el contexto artístico italiano, se hubiera esforzado en mostrar lo mejor de sí mismo. Las figuras de medio cuerpo que se aprietan en torno al Niño parecen inspiradas en dibujos de Leonardo. Las manos jóvenes de Jesús y las envejecidas de su principal contrincante forman un grupo enérgicamente dibujado que el pintor ha colocado en el centro de la composición.

La eclosión de la Reforma religiosa y los subsecuentes conflictos a que se vio sometida la sociedad germánica a partir del final del primer cuarto del siglo XVI, tuvieron una profunda influencia en la historia de su pintura. Una de las primeras consecuencias de este magno evento histórico fue la desaparición de los encargos de la Iglesia.

Las pinturas de Lucas Cranach el Viejo, de quien se ha mencionado una obra de temática religiosa realizada durante la primera época del artista, y las de sus hijos Hans (c. 1513-1537) y Lucas el Joven (1515-1586) forman en estas salas un conjunto que ilustra el gusto pictórico dominante durante los años iniciales de la Reforma en una de las principales cortes principescas del Imperio, la del Elector de Sajonia. Destaca la *Ninfa de la fuente* (Cat. nº 115) recostada delante de una laguna de la que brota un arroyo. Este asunto se ha relacionado con la fuente de Castalia, inspiración de poetas y filósofos, y también con el de Venus dormida. El arco y las flechas de Cupido cuelgan ociosas en un tronco de árbol. Si el tema, de fuerte impronta neoplatónica, evoca el humanismo italiano, difícilmente puede imaginarse un mayor contraste que el que da entre los respectivos estilos pictóricos de ambos países.

Quizá los ejemplos más intensos de ese estilo germánico del siglo XVI son los que proporciona Hans Baldung Grien (1484/85-1545), artista formado con Durero, y estilísticamente afín a Cranach. De su mano son *Adán y Eva* (Cat. nº 27) donde con un cierto aire sensual el pintor destaca el tema del pecado original y *Retrato de una Dama* (Cat. nº 28). En esta singular representación una mujer que responde a los tipos creados por Cranach, iluminada con un fuerte foco de luz que paradójicamente hace resaltar la suavidad de su modelado, nos inquieta con su enigmática mirada. Es asombroso el efecto que el pintor obtiene con una reducida paleta que parece consistir sólo en un verde, dos rojos, el blanco y el negro.

134. Alberto Durero
Jesús entre los doctores, 1506

Óleo sobre tabla. 64,3 x 80,3 cm.

Con la desaparición de la temática religiosa el retrato se convierte finalmente en género dominante de la pintura alemana del siglo XVI. El riquísimo conjunto de la Colección Thyssen-Bornemisza permite seguir su evolución desde sus orígenes en las últimas centurias del siglo anterior.

De este nutrido grupo merece destacarse, como prototipo de retrato con fondo imaginario, el de *Levinus Memminger* (Cat. nº 440), personaje ligado a la ciudad de Nuremberg, obra de Michael Wolgemut (1434/37-1519). En esta línea se encuentra también el *Caballero* (Cat. nº 379) de Bernhard Strigel. Hans Wertinger (c. 1465/70-1533), con el *Bufón llamado "el caballero Cristóbal"* (Cat. nº 434) fechado en 1515, incorpora a la historia de la pintura uno de los primeros retratos de cuerpo entero.

La Colección también recoge otras tipologías como son las representaciones dobles de *Coloman Helmschmid y Agnes Breu* (Cat. nº 244), de Breu el Viejo (c. 1480-1537) y un pintor anónimo;

aquí la pareja se muestra al espectador bajo arcos de medio punto. Barthel Beham (1502-1540), afamado maestro de Munich, en sus dos tablas con *Ruprecht Stüpf y Ursula Rudolph* (Cat. n°s 36-37) representa, de más de medio cuerpo, a este matrimonio patricio jugando en sus composiciones con las cortinas que adornan sus fondos.

El creador de la Escuela del Danubio, Albrecht Altdorfer (c. 1480-1538), emplea en una fecha relativamente temprana, la modalidad de tres cuarto en el misterioso retrato de *una mujer joven* (Cat. n° 2) de contrastado cromatismo. Cristoph Amberger (c. 1502-1562), pintor que conoció a Tiziano, nos conduce más directamente a los gustos y exigencias de los clientes con su retrato de *Matthäus Schwarz* (Cat. n° 4), donde se perciben numerosos detalles que nos hablan de la personalidad de este hombre que llevó la contabilidad de los famosos Fugger.

115. **Lucas Cranach el Viejo**
La ninfa de la fuente, 1530-34

Óleo sobre tabla. 75 x 120 cm.

28. **Hans Baldung Grien**
Retrato de una dama, 1530(?)

Óleo sobre tabla. 69,2 x 52,5 cm.

10 Pintura neerlandesa del siglo XVI

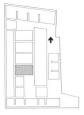

El siglo XVI es generalmente considerado un periodo de transición entre los dos periodos de máximo esplendor pictórico de los Países Bajos. Durante su transcurso, características ya conocidas, como son el gusto por representar lo cotidiano con un marcado realismo y detallismo, el amor a la naturaleza y a los elementos que en ella se integran, el rigor en el dibujo, la luminosidad nórdica o el colorido saturado del que habían hecho uso en el siglo XV los llamados primitivos, se unirán paulatinamente a los nuevos conceptos pictóricos provenientes de las corrientes renacentistas italianas.

Así pintores como Gossaert, Van Orley (c. 1488-1541), Lucas de Leyden o Van Cleve (c. 1485-1541) irán introduciendo un nuevo lenguaje. Jan Gossaert (1478-1533/36), representado en la Colección con un *Adán y Eva* (Cat. n⁰ 163) cuya vegetación se encuentra cargada de simbolismo, será uno de los primeros cultivadores del desnudo. De Lucas de Leyden (c. 1494-1533) es una escena, cuya segunda lectura desconocemos, en la que una dama juega a los naipes con dos caballeros. Junto a estos artistas y por la importancia que tiene como precursor de la pintura de paisaje hay que destacar la figura de Joachim Patinir (c. 1485-1524). En el *Descanso en la Huida a Egipto* (Cat. n⁰ 314) nos muestra un paisaje imaginario con predominio de tonos verde-azulados.

Mención aparte merecen un nutrido grupo de pintores conocidos como "manieristas de Amberes", creadores de un nuevo estilo cuyas bases se cimentan en la renovación de anteriores propuestas. Jan de Beer (c. 1475-h. 1536), con sus dos tablas *El Nacimiento de la Virgen* y *La Anunciación* (Cat. n⁰ˢ 34-35), donde las figuras se alargan en actitudes inestables cubiertas con generosos ropajes, puede ser uno de sus exponentes más notorios.

Los seguidores de Rafael, llamados "romanistas", figuran en la Colección con una pequeña obra de Jan van Scorel (1495-1562). Dentro de esta línea, pero en lo que se ha denominado manierismo más exaltado o erudito, encontramos la figura de Maerten van Heemskerck (1498-1574) cuyo *Retrato de una mujer hilando* (Cat. n⁰ 183) nos conduce a un interior que trasluce la vida cotidiana. Emplazando en primer términoa la mujer retratada, el pintor la presenta rodeada de las piezas de un rico ajuar y se deleita en la evocación de sus diversos colores y calidades táctiles.

183. **Maerten van Heemskerck**
Retrato de una dama hilando, c. 1531

Óleo sobre tabla. 105 x 86 cm.

11 Tiziano, Tintoretto, Bassano y El Greco

Los cambios que la pintura de Tiziano experimentó hacia mediados de siglo dieron lugar a una de las revoluciones estilísticas más fecundas de la historia del arte. Si hubiera que dar una fecha para su inicio podría mencionarse el viaje que el artista veneciano hizo a Roma en 1545. El encuentro con Miguel Angel, cuya última pintura terminada era el gran fresco del Juicio Final, parece haber dado a Tiziano una seguridad todavía mayor en sí mismo. Es significativo que realizara durante ese viaje la Danae que se exhibe hoy en el Museo de Capodimonte de Nápoles. Justificando las licencias que se tomaba en esas pinturas mitológicas, Tiziano decía que las creaba, no como quien narra una historia sino como quien compone una poesía. La explicación podría hacerse extensiva a su nueva manera de aplicar el color. He aquí cómo la explica Vasari, que visitó su taller en Venecia en 1566: "La manera que emplea en estos últimos cuadros es muy diferente de la de su juventud (...) están ejecutados con pinceladas atrevidas, hechas por medio de amplios y a veces ásperos movimientos del pincel, de modo que, vistos de cerca, se ve muy poco en ellos, pero vistos de lejos, parecen perfectos (...). Este método, usado así, es juicioso, bello y asombroso, porque hace que los cuadros parezcan vivos y al mismo tiempo pintados con gran habilidad, pero sin que se note el esfuerzo".

Aunque el número de colores básicos es reducido, cada uno de ellos se divide en cientos de tonalidades que se dispersan por todo el espacio pintado. El resultado es que no se pueden aislar en ese espacio zonas neutras. Tal como ocurre con las grandes creaciones polifónicas de la época, en las que todas las líneas melódicas concurren a desarrollar el tema de la composición, así también todas las partes del cuadro, respondiendo a las mismas armonías cromáticas, producen un efecto poético concorde con el carácter del asunto representado.

El *San Jerónimo* de Tiziano que se presenta aquí (Cat. nº 406), aunque responde a un prototipo compositivo creado veinte años antes, fue pintado en los últimos años de la vida del artista. El santo medita sobre la Pasión de Cristo en la soledad del desierto. El haz de ramas en el suelo y la piedra en la mano nos hablan de su penitencia. En la maleza las manchas verdosas de algunas hojas hacen eco a las sombras que mortifican el torso del anciano. La púrpura del manto se extiende en zig zag a lo largo de la diagonal principal de la composición; a un lado, abajo, la cabeza poderosa

406. **Tiziano**
San Jerónimo en el desierto, c. 1575

Óleo sobre lienzo. 135 x 96 cm.

del león se hunde en la sombra; al otro, arriba, la luz se ahoga en la breña. Un aire de desolación sopla por igual sobre formas animadas e inanimadas confundiéndolas.

Las consecuencias del cambio estilístico de Tiziano alcanzan a la totalidad de la historia de la pintura, desde Rubens a Watteau y hasta el último Cézanne. No es de extrañar pues que transformaran la pintura veneciana de la segunda mitad del siglo. Del Tiziano tardío son tributarias la fuerza poética que se desprende de los azules sombríos de la *Escena Pastoril* (Cat. nº 31) de Jacopo Bassano (c. 1515-1592) y la gloriosa espiral de luz y cuerpos bienaventurados del *Paraíso* (Cat. nº 403, expuesta en el patio central), de Tintoretto.

También la pintura de El Greco (1541-1614) tiene fuentes tizianescas. La *Anunciación* (Cat. nº 172) pintada en Venecia deriva en su composición de otra Anunciación pintada por Tiziano en 1537. Junto a esa influencia es evidente también la del Manierismo. La elaboración de ambas y la maduración de la poderosa personalidad del artista en Toledo produjeron uno de los estilos pictóricos más intensos y singulares de la historia del arte. Este alcanza su culminación extemporánea en el cambio de siglo, aislando su obra respecto de las nuevas corrientes artísticas que se difunden desde italia. Ejemplos de este estilo son el espléndido boceto de la *Anunciación* para el retablo del Colegio de la Encarnación de Madrid (Cat. nº 171) y la *Inmaculada Concepción* (Cat. nº 170).

403. **Tintoretto**
El Paraíso, c. 1583

Óleo sobre lienzo. 164 x 492 cm.

171. El Greco
Anunciación, 1596-1600

Óleo sobre lienzo. 114 x 67 cm.

12 El primer Barroco. Caravaggio y Bernini

En las dos últimas décadas del siglo XVI, Roma recobra el papel de capital universal de las artes que había perdido tras el saqueo de 1527. Este renacer se asocia con un nuevo estilo, el Barroco, que domina la vida artística de los países de la Europa católica durante todo el siglo XVII y buena parte del siguiente. Las obras que se reunen en esta sala ilustran su desarrollo a lo largo de una primera fase que se extiende hasta la tercera década del siglo XVII.

La irrupción del nuevo estilo puede explicarse, sea en términos de alternancia estilística, (Wölfflin), sea en términos doctrinales, como respuesta a los principios religiosos de la Contrarreforma, (Weisbach). Tanto las conclusiones del Concilio de Trento como las recomendaciones propagadas por las nuevas órdenes religiosas de la Contrarreforma (principalmente El Oratorio y la Compañía de Jesús) venían a exigir de las obras de arte: 1) que fueran claras y fácilmente inteligibles; 2) que sirvieran como estímulos emocionales para la piedad; 3) que fueran verosímiles o "realistas". Estas exigencias se encontrarán en el origen del estilo nuevo; un estilo que se deseaba contraponer a la artificiosidad, el intelectualismo frío y la complejidad del Manierismo tardío.

Aunque la pintura de Caravaggio (1571-1610) respondía a las exigencias del nuevo gusto, encontró muchas dificultades para ser aceptada en su tiempo. Tradicionalmente se ha atribuido esta resistencia al realismo excesivo de sus figuras, irreconciliable con los principios doctrinales de la tradición clasicista. Conviene decir sin embargo que los cuadros de Caravaggio hacen pensar, más que en la realidad de la calle, en la ficción del teatro o del "tableau vivant".

Fechada en el último lustro del siglo XVI, *Santa Catalina de Alejandría* (Cat. nº 81) es obra de juventud. Wittkower la ha puesto en relación con la tradición de las naturalezas muertas flamencas cuya influencia se aprecia en otras obras anteriores del maestro. Algo de naturaleza muerta hay en efecto en las texturas contrastantes de los brocados que ocupan una parte tan importante de la superficie pintada, en el hilo blanco de la camisa, en el filo de la espada y en el índice de la mano que se apoya en él; una mano de nudillos sorprendentemente marcados (lo observó Longhi) para una muchacha de garganta tan delicada.

Pese a su enorme impacto la influencia de Caravaggio no se concretó en una escuela organizada. Las obras que se reunen en esta sala y en la sala 20 permiten observar la diversidad de los llamados caravaggistas del Norte. Mayor es aún la que les separa del

81. **Caravaggio**
Santa Catalina de Alejandría, c. 1597

Óleo sobre lienzo. 173 x 133 cm.

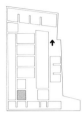

S51. **Giovanni Lorenzo Bernini**
San Sebastián, 1615

Mármol. Altura: 98,8 cm.

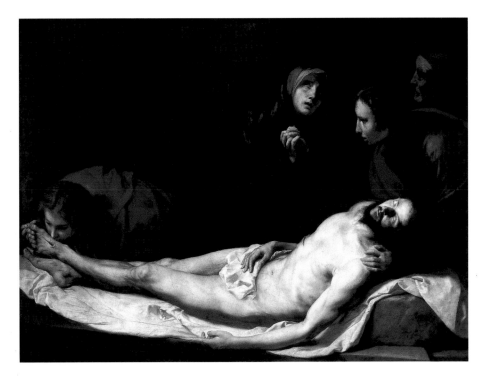

336. **José de Ribera**
La Piedad, 1633

Óleo sobre lienzo. 157 x 210 cm.

español José de Ribera (1591-1652); nadie supo llevar más lejos que él los principios estilísticos tópicamente asociados con Caravaggio: el naturalismo y la dura iluminación focal. Sin embargo, *La Piedad* (Cat. nº 336), fechada en 1633, revela ya la transición hacia el barroco pleno que por ese tiempo se gesta en Nápoles.

En esa transición, que en Roma se había producido diez años antes (vid. *Lot y sus hijas* (Cat. nº 155) de Orazio Gentileschi (1563-1639), tuvo una influencia decisiva Giovanni Lorenzo Bernini (1598-1680). *San Sebastián* (Cat. S. 51)fue realizado en 1615, cuando el artista tenía sólo 17 años. Su adaptación de la composición serpentinata a una figura sedente debe mucho al Manierismo tardío y en último término a Miguel Angel. Sin embargo la elegancia de la ejecución y la autoridad del dibujo anuncian ya la gran inflexión que va a transformar las exigencias de claridad, verosimilitud e inmediatez emocional del primer Barroco en la exuberancia, sensualidad y grandilocuencia del Barroco pleno.

13-15 El Barroco en el siglo XVII

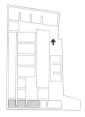

Estas salas están dedicadas al desarrollo del nuevo estilo cuya aparición histórica se presenta en la sala 12. El punto de partida puede ser la impronta de Caravaggio y el desarrollo del naturalismo. En esta línea se presentan aquí obras de Salini, Fetti, y de dos artistas vinculados a Nápoles: Preti y Giordano.

Tommaso Salini (c. 1575-1625) en su *Joven campesino con garrafa* (Cat. nº 363) recoge un tema popular de composición sencilla donde la luz, de forma brusca, nos deja ver parte del rostro y del torso de un muchacho. En primer término este mismo foco lumínico nos descubre unas berzas. El lienzo puede tomarse como referencia para destacar dos géneros que aparecen con el naturalismo y que tendrán a partir de este siglo XVII un amplísimo desarrollo: el bodegón y la pintura de género.

Domenico Fetti (1589-1624) es un pintor ecléctico en cuyo estilo la nueva iluminación naturalista juega con el colorido de los grandes maestros venecianos del siglo anterior. Sus dos pequeñas tablas *El Buen Samaritano* y *La Parábola del sembrador* (Cat. nᵒˢ 139

176. **El Guercino**
Jesús y la Samaritana junto al pozo, 1640-41

Óleo sobre lienzo. 116 x 156 cm.

327. **Mattia Preti**
Un concierto, c. 1630-40
Óleo sobre lienzo. 107 x 145 cm.

y 140) ilustran dos episodios del Nuevo Testamento; su temática entronca con el mundo de la Contrarreforma.

La corriente naturalista tendrá en Nápoles un foco de importancia excepcional cuyo origen se debe en un primer momento a la presencia de Caravaggio, y que posteriormente se afianzará gracias a la de un español afincado en el virreinato, Ribera. Con él se formó Luca Giordano (1632-1705), representado en la Colección con un cuadro de gran formato, El *Juicio de Salomón* (Cat. A. 807). Aunque se trata de una obra de juventud, el artista muestra ya su legendaria facilidad. Junto al estilo de claras notas riberescas (obsérvese el acusado realismo de algunos rostros) llama la atención la escala de las figuras. De Mattia Preti (1613-1699), formado también en el núcleo napolitano, se exponen dos obras. *Un Concierto* (Cat. nº327) presenta a tres personajes de medio cuerpo agrupados en torno a una mesa y dispuestos sobre un fondo neutro; la luz que ilumina fuertemente parte de los rostros juega con una gama cromática reducida. El interés por estos temas profanos se puede relacionar

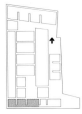

con la estancia del pintor en Roma, concretamente con la influencia de los artistas del Norte de Europa, que constituían una nutrida colonia en la ciudad del Tiber en las primeras décadas del siglo.

Giovanni Francesco Barbieri, conocido como Il Guercino (1591-1666), es uno de los artistas más sobresalientes de la segunda generación del clasicismo boloñés. *Jesús y la Samaritana junto al pozo* (Cat. nº 176) presenta a unas figuras dibujadas con gran perfección y pintadas con suaves contrastes lumínicos. En este lienzo se aprecia un excelente tratamiento de las texturas, como por ejemplo en el cántaro que sujeta la Samaritana o en los elegantes paños que cubren a los personajes.

La pintura francesa del siglo XVII, cuyos centros de actividad se sitúan en Roma y París, se va a desarrollar en la línea de un barroco moderado por una permanente voluntad de clasicismo. Ello no impidió que determinados artistas optaran por el realismo. Este es el caso de los Le Nain, una familia de pintores compuesta por tres miembros, Antoine (1600/10-1648), Louis (1593-1648) y Matthieu (1607-1677), cuyas composiciones, generalmente de pequeño formato, reflejan la vida del campesinado francés, como ocurre en *Niños cantando y tocando el violín* (Cat. nº 218) que se presenta en la sala 13.

La corriente clasicista francesa tendrá su principal soporte en Italia. Claude Gellée (1600-1682), llamado Le Lorrain o Lorena se estableció definitivamente en Roma en 1627. Es el creador de un tipo de paisaje de amplias perspectivas donde el mundo clásico se evoca con una mirada nostálgica. *Paisaje Idílico con la Huida a Egipto* (Cat. nº 226) recoge lo más característico de su interpretación de la campiña romana. Las luces rosadas que inundan el horizonte de estos paisajes han sido captadas al amanecer o al atardecer. En los primeros planos y recortándose a contraluz, el pintor dispone masas de árboles o ruinas antiguas que enmarcan la escena pintada como lo harían las bambalinas en un teatro a la italiana.

Con las personalidades de Valdés Leal (1622-1690) y Murillo (1617-1682) renace en España y más concretamente en Sevilla, durante la segunda mitad del siglo, uno de los focos más fecundos de nuestra pintura. *La Virgen y el Niño con Santa Rosalía de Palermo* (Cat. nº 296), obra de Bartolomé Esteban Murillo, resume el estilo más característico del maestro en la etapa final de su carrera. La composición es sencilla; el grupo

296. **Bartolomé Esteban Murillo**
La Virgen y el Niño con Santa Rosalía de Palermo, c. 1670

Óleo sobre lienzo. 190 x 147 cm.

central dispuesto en forma de triángulo se completa a la izquierda con una escena secundaria que ilustra la vida de la Santa y que tiene su inspiración, posiblemente, en la realidad que rodeaba al pintor. Angelitos y mártires ejecutados con una pincelada suelta y cuyas formas se diluyen por el tratamiento de la luz y el color, completan este delicado lienzo destinado tal vez a algún altar. La obra ilustra perfectamente el estilo ecléctico y brillante de este pintor, cuya facilidad para la comunicación sentimental fue apreciada no sólo en su tiempo y en los ambientes de la Contrarreforma tardía, sino bastante más tarde, y desde unos presupuestos culturales profundamente diversos, por la crítica romántica.

59. **Sebastien Bourdon**
La Sagrada Familia con Santa Isabel y San Juanito, c. 1660-70

Óleo sobre lienzo. 39 x 50 cm.

226. **Claudio de Lorena**
Paisaje idílico con la huida a Egipto, 1663

Óleo sobre lienzo. 193 x 147 cm.

16-18 Pintura italiana del siglo XVIII

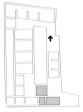

La supremacía artística que Italia había disfrutado hasta entonces se transfiere en el siglo XVIII a Francia. Sin embargo la Península Itálica sigue siendo visita obligada para artistas y aristócratas de toda Europa; así, sus principales ciudades son escenarios ideales para el cultivo de las nuevas corrientes estéticas que propician el interés por las ruinas clásicas, la arqueología y el auge del coleccionismo europeo.

Los centros girarán en torno a la ya tradicional Roma, a Nápoles y a Venecia, foco innovador que destacará con luz propia dentro del panorama artístico. En esta última ciudad nace uno de los artistas más importantes del siglo, Giambattista Tiépolo (1696-1770). *La Muerte de Jacinto* (Cat. nº 394), considerada una de sus obras maestras, ilustra un tema mitológico narrado en las Metamorfosis de Ovidio. El lienzo muestra las notas más características de su estilo: la riqueza del colorido, que se conjuga con una paleta muy personal en la que dominan los tonos pálidos y fríos, la monumentalidad de las figuras y finalmente el virtuosismo y la eficacia escénica de la composición. Pintor dotado de una gran facilidad, fue requerido, en calidad de fresquista, para decorar los techos de los palacios de las principales cortes europeas. Entre ellos el Palacio Real de Madrid, ciudad en la que murió en 1770.

Maestro del joven Tiépolo, a pesar de que sólo 14 años separan sus fechas de nacimiento, fue Giovanni Battista Piazzetta (1683-1754), pintor que acuñó un estilo intensamente personal. En el *Retrato de Giulia Lama* (Cat. nº 316), poetisa, pintora y discípula suya, el artista combina la iluminación enérgica y la reducida gama cromática de la tradición caravaggista con la delicadeza e intimidad que demandaba el nuevo gusto del siglo XVIII.

Además de esta corriente continuadora del Barroco del siglo anterior, en la Venecia del siglo XVIII se cultivó un género nuevo, que tuvo como protagonistas principales la ciudad y su arquitectura. Se trata de las llamadas *"vedute"* o vistas urbanas. Aunque los antecedentes nos remiten a la pintura holandesa, por ejemplo a Berckheyde *(vid* sala 25), en su formulación italiana influyeron dos tendencias culturales de la época: el interés por la arquitectura de la antigüedad clásica y el desarrollo de la escenografía teatral a partir de finales del siglo XVII. La compleja arquitectura fantástica de los dos cuadros que aquí se muestran del pintor y arquitecto romano Giovanni Panini (c. 1691-1765) ilustran esta

394. Giambattista Tiépolo
La muerte de Jacinto, 1752-53.

Óleo sobre lienzo. 287 x 232 cm.

tendencia del gusto setecentista (Cat. nº 311 y 312). Sin embargo el género evolucionó pronto hacia la representación de escenas arquitectónicas asociables a ciudades reales. El interés de los clientes extranjeros, sobre todo ingleses, deseosos de mostrar en sus residencias recuerdos visibles del *"Grand Tour"* o viaje italiano de juventud, fue determinante en esta evolución.

El primer maestro del *vedutismo* es Canaletto (1697-1768), pintor que se formó dentro de la tradición de las escenografías teatrales y que supo trasladar a sus lienzos, quizá mejor que nadie, la magia y el encanto de la ciudad de los canales. En la *Vista de la Plaza de San Marcos* (Cat. nº 75) y en la *Vista del Canal Grande desde San Vio* (Cat. nº 76) nos muestra dos panoramas venecianos, montados con su característica precisión y habilidad para la perspectiva. Aunque animadas por la actividad de numerosos personajes, los protagonistas esenciales de estas escenas son la arquitectura y la luz de la ciudad.

En una línea de menor exigencia topográfica y mayor libertad poética se encuentran Bernardo Bellotto (1720-1780), sobrino

76. Canaletto
Vista del Canal Grande desde San Vío en Venecia, antes de 1723

Óleo sobre lienzo. 140,5 x 204,5 cm.

75. **Canaletto**
Vista de la Plaza San Marcos en Venecia, antes de 1723

Óleo sobre lienzo. 141,5 x 204,5 cm.

y discípulo de Canaletto y Francesco Guardi (1712-1793), cuñado de Giambattista Tiépolo. Bellotto tras haber trabajado en diversas ciuades italianas y germánicas acabó estableciéndose en la corte del rey de Polonia Estanislao Augusto Poniatowski. De su época italiana es la bellísima vista idealizada, o capriccio que se muestra aquí (Cat. nº 40). Venecia fue el tema casi único de la amplia obra pictórica de Francesco Guardi(1712-1793). *Vista del Gran Canal con San Simone Piccolo y Santa Lucía* (Cat. nº 175) junto con su pareja (Cat. nº 174) nos ofrecen la principal arteria de la ciudad desde dos puntos de vista distintos. La pincelada de factura suelta recoge una amplia gama de efectos ambientales que suponen un estudio riguroso de la luz. Ambos artistas preludian los gustos pictóricos del siglo siguiente. Si la luminosa composición de Bellotto nos hace pensar en los delicados y serenos paisajes italianos de Corot, la luz húmeda y palpitante de la Venecia de Guardi se anticipa al luminismo impresionista del último tercio del siglo XIX.

El panorama pictórico de la Venecia del siglo XVIII cuenta además con un género que, aunque procede del siglo anterior,

fue particularmente estimado por el gusto ilustrado en su reacción contra la retórica del Barroco. Se trata de la pintura costumbrista. Su cultivador más destacado fue Pietro Falca (1702-1785), conocido como Pietro Longhi cuyas obras, generalmente de pequeño formato, retratan, con una curiosidad siempre despierta para el detalle significativo y una inigualable capacidad para la evocación ambiental, los hábitos de la burguesía y de la aristocracia venecianas. *Las cosquillas* (Cat. nº 244) nos introduce, como espectadores ajenos, en la intimidad familiar de un salón palaciego. La elegancia de la reducida paleta entonada en verdes y la pincelada vaporosa, que evoca el gusto rococó francés, no consiguen encubrir la impresión de desasosiego que se desprende del cuadro; esa sentimentalidad delicada, pero casi rousseauniana, no es totalmente ajena a las grandes tormentas pasionales del romanticismo que invadirá Europa a comienzos del siglo siguiente.

175. **Francesco Guardi**
Vista del Canal Grande con San Simeone Piccolo y Sta. Lucía, c. 1780

Óleo sobre lienzo. 48 x 78 cm.

224. Pietro Longhi
Las cosquillas, c. 1755

Óleo sobre lienzo. 61 x 48 cm.

19 Pintura flamenca del siglo XVII

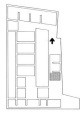

El enfrentamiento de la monarquía española con el mundo protestante causó en los Países Bajos un proceso gradual de separación entre Flandes y las provincias del Norte, proceso que durante el primer tercio del siglo XVII afectó a la pintura, así como al resto de la vida cultural. Mientras Flandes seguía mirando hacia Italia, la pintura holandesa inició la exploración de otros caminos (vid. salas 20 a 27).

El florecimiento de la pintura flamenca durante ese período se debe en primer lugar a Rubens (1577-1640). Como ocurre con otros artistas del primer Barroco, su estilo supone una ruptura con el Manierismo y una vuelta a la primera mitad del siglo XVI. La riqueza cromática y la fluidez técnica de la tradición flamenca se sintetizan con los modelos italianos, especialmente las figuras y la composición del Miguel Angel tardío y la manera de construir el espacio por medio del color tan característica de Tiziano. Es precisamente en las copias que Rubens hizo de Tiziano donde se ve mejor su capacidad para trascender los lugares comunes de su tiempo. Una de ellas es *Venus y Cupido* (Cat, nº 350), composición en la que Tiziano abordó un tema cultivado por los filósofos neoplatónicos, (la belleza ideal se manifiesta en el espejo del amor), y que Rubens seguramente no ignoraba. Además de esta composición, el pintor flamenco se encuentra representado en esta sala por dos bocetos. Debe destacarse la grafía espléndida de uno de ellos, *La ceguera de Sansón* (Cat, nº 351). El prototipo del *Retrato de una dama* (Cat, nº 352) responde a una tradición bien establecida en Flandes, como puede verse si se compara con el *Retrato de Giovanni Battista di Castaldo* (Cat, nº 291) pintado medio siglo atrás por Anthonis Mor (1519-1576). El plano entero de damasco rojo que sirve de fondo a la figura de la dama constituye un rasgo curiosamente arcaizante; sin embargo, ejecutado con la brillantez característica de Rubens, este fondo potencia la vivacidad del gesto y la tersura de la pincelada en la figura.

El retrato de Jacques Le Roy (Cat, nº 135), pintado por Van Dyck (1599-1641) en Amberes en 1631, poco antes de su último viaje a Inglaterra, es la única, aunque espléndida representación en el Museo de uno de los más aclamados retratistas de la historia de la pintura.

A pesar de la divergencia mencionada más arriba entre la pintura holandesa y la flamenca, la pintura de género, tan característica de la escuela holandesa, se cultivó también en Flandes. Lo

350. **Peter Paul Rubens**
Venus y Cupido, 1600-08

Óleo sobre lienzo. 137 x 111 cm.

mismo cabe decir de los bodegones y los paisajes. Al distribuir estos cuadros flamencos en las salas del Museo se ha preferido, por razones de coherencia visual, disponerlos junto a los holandeses. Sin embargo se ha hecho una excepción con cuatro paisajes de cronología temprana que complementan el panorama de la pintura de esta sala.

Es posible que Jan Brueghel el Viejo (1568-1625) pintara en Milán el pequeño óleo sobre cobre que representa a *Cristo en la tempestad del mar de Galilea* (Cat, nº 66); sin embargo debe verse como uno de los últimos ejemplos de la interesante tradición del paisaje imaginario que con tanto éxito se cultivó en Flandes en el siglo XVI. La riqueza de colorido y la técnica que valieron al artista el calificativo de "Brueghel de Velours" se aprecian mejor en el *Paraiso* (Cat. nº A.801). Existen razones convincentes para suponer que la versión que se presenta aquí es cronológicamente la primera de una serie de variantes que se conservan en distintas colecciones. La amistad entre Rubens y Jan Brueghel el Viejo es bien conocida, así como sus ocasionales colaboraciones artísticas. Ambos firmaron conjuntamente una tabla que representa a Adán y Eva en el Jardín del Edén y que se conserva en la Mauritshuis de La Haya. No es sorprendente por tanto que las figuras de algunos de los animales que se ven en nuestro cuadro, como el caballo y la pareja de leones de la izquierda, o los tigres de la derecha, deriven de prototipos establecidos por Rubens.

La hermosa pareja de paisajes atribuidos aquí al llamado "maestro del monograma I D M " (Cat, nºs 288 y 289), probablemente un artista del círculo de Joos de Momper, cuya obra se encuentra en proceso de revisión por los especialistas, responden a un esquema compositivo cuyas primeras versiones se encuentran en la obra de Jan Brueghel el Viejo. En ellos puede apreciarse la difusión en los Países Bajos de ese gusto por lo italiano que constituye el tema de la sala 20.

135. Anton van Dyck
Retrato de Jacques Le Roy, 1631

Óleo sobre lienzo. 117,8 x 100,6 cm.

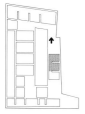

La primera difusión internacional de la pintura holandesa del siglo XVII se debe a la crítica ilustrada francesa e inglesa del siglo siguiente, sobre todo a la prerromántica. Los críticos prerrománticos caracterizaron la pintura holandesa, contraponiéndola al clasicismo que identificaban con la pintura italiana, por medio de polaridades tales como realismo frente a idealismo, sentimentalidad frente a formalismo o secularidad frente a clericalismo. Los historiadores del siglo XIX dieron luego coherencia interna a estas características, explicándolas como manifestaciones del espíritu nacional que había llevado al pueblo holandés a rebelarse y lograr su independencia.

La historiografía actual rechaza estos estereotipos y llega a relativizar incluso la distinción habitual entre pintura holandesa y pintura flamenca. Pese a la cautela con que conviene tomarla, esa reacción de los historiadores de hoy nos permite entender y apreciar mejor a ciertos artistas que, como Honthorst o Sweerts, se sitúan a medio camino entre la cultura pictórica italiana y la holandesa y a quienes la crítica romántica había marginado precisamente por ello.

En la disitribución de las salas del Museo se ha juzgado conveniente presentar la pintura holandesa italianizante junto a la dedicada a Rubens y su tiempo. Una intención similar de evitar los contrastes excesivos, ha aconsejado disponer a continuación, como espacio de transición, una sala monográfica dedicada al retrato.

El caso más importante de influencia italiana en la pintura holandesa es la difusión del caravaggismo. El naturalismo, la representación de acciones suspendidas en un momento dramático de su desarrollo, y la iluminación focal son características que, importadas desde Italia en la tercera década del siglo XVII, van a incorporarse a la pintura holandesa como rasgos estilísticos propios. Su centro de difusión es Utrecht, ciudad en la que coinciden, tras haber viajado a Italia, Dirk J. van Baburen (c. 1595-1624), cuyo *San Sebastián atendido por Santa Irene* (Cat. nº 347) se presenta en la sala 12 en consideración a su proximidad estilística al mundo romano, y Gerrit van Honthorst (1592-1656), cuyo *Violinista alegre* (Cat. nº 194) se presenta en la sala 22 por su influencia en el desarrollo de la pintura costumbrista holandesa. En la sala 20 se presentan dos ejemplos intermedios: *Esaú vendiendo la primogenitura* (Cat. nº 393) de Hendrick ter Brugghen (1588?-1629), pintor que se afinca también en Utrecht tras su vuelta de Italia, muestra un lenguaje pictórico personal, aunque afín al de Honthorst; *La cena de Emaus* (Cat, nº 375) de Matthias Stom (c. 1600-c. 1650), artista que desarrolló una

375. Matthias Stom

La cena de Emaús, c. 1633-1639

Óleo sobre lienzo. 111,8 x 152,4 cm.

393. Hendrick Ter Brugghen

Esaú vendiendo su primogenitura, c. 1627

Óleo sobre lienzo. 106,7 x 138,8 cm.

Pintura holandesa del siglo XVII.
Corrientes italianizantes y retratos

gran parte de su carrera en Italia, responde a una asimilación más estereotipada del caravaggismo.

La obra de Bartholomeus Breenbergh refleja otro tipo de italianismo. Los dibujos de ruinas antiguas que hizo en Roma en los años veinte fueron la base de una larga carrera de especialista en paisajes imaginarios como el que se muestra aquí (Cat. nº 62). Más interesante es la trayectoria de M. Sweerts (1624-1664), pintor flamenco nacido en Bruselas en 1624. Su cuadro *Soldados jugando a los dados* (Cat. nº 384) enlaza con la pintura costumbrista que habían cultivado en Italia los pintores holandeses de la generación anterior, como Pieter van Laer (c. 1592-1642). El extraordinario *Muchacho con turbante* (Cat. nº 385), pintado a mediados de la década de los cincuenta, es una interpretación tardía, pero brillante y muy personal de maneras y temas caravaggescos.

Gerard ter Borch (1617-1681) fue uno de los últimos artistas holandeses importantes que viajó a Italia. Su *Hombre leyendo* (Cat. nº 392), es un ejemplo de la tendencia, iniciada por Rembrandt, de presentar al retratado en el marco de su cotidianidad; el propósito está servido admirablemente por el tratamiento de la luz y la paleta refinada del pintor. Dejando aparte a Ter Borch y a Nicolas Maes (1634-1693), los demás retratos que se muestran en la sala 21 pueden reunirse en dos grupos. En uno de ellos, junto a un retrato (Cat. nº 331) que durante largo tiempo se atribuyó a Rembrandt, se situarían los artistas contemporáneos o seguidores suyos, como Thomas H. de Keyser (1596/97-1667; Cat. nº 209), Govert Flink (1615-1660; Cat. nº 143), Ferdinand Bol (1616-1680; Cat. nº 51) y Bartholomeus van der Helst (1613?-1670; Cat. nº 184). El otro, en el que se situarían Caspar Netscher (c.1635/36-1684; Cat. nºs 301 y 302) y Frans van Mieris (1635-1681; Cat. nº 286), testimonia un notable cambio de gusto: en las últimas décadas del siglo la pintura holandesa pierde algo de su singularidad para aproximarse al clasicismo internacional que se propugna desde Francia.

392. **Gerard Ter Borch**
Retrato de un hombre leyendo un documento, c. 1675

Óleo sobre lienzo. 48 x 39,5 cm.

PLANTA PRIMERA

22-26 Pintura holandesa del siglo XVII. Escenas de la vida cotidiana, interiores y paisajes

En estas cinco salas se reunen sin solución de continuidad cuadros que representan escenas de la vida cotidiana, interiores, vistas arquitectónicas y urbanas, paisajes y marinas. Aunque se cultivaron también en otras partes, estos géneros han quedado asociados, como rasgos característicos propios, a la imagen historiográfica de la pintura holandesa.

También se asocian a ella los grandes retratos colectivos con figuras de cuerpo entero, como *Grupo familiar* (Cat. n.º 179) de Frans Hals (c. 1583-1666). El virtuosismo de la pincelada y la vivacidad e inmediatez psicológica de los personajes representados son rasgos característicos del estilo de Hals. Estas cualidades le valieron la estima de sus contemporáneos hasta mediados del siglo XVII; hubo entonces un cambio de gusto y se prefirieron unas superficies pictóricas más acabadas. Hals quedó olvidado durante dos siglos. En la segunda mitad del siglo XIX, bajo la influencia del realismo literario y pictórico, Hals fue reapreciado y su estilo dejó una marca profunda en el de los grandes precursores de la pintura moderna, desde Courbet a Whistler y desde Manet a Van Gogh.

Aunque idiosincrático, el estilo de Hals no carecía de antecedentes; el más próximo se encuentra en los caravaggistas de Utrecht. Si se comparan *Violinista alegre* (Cat. n.º 194) de Gerrit van Honthorst (1592-1656) o *Joven tocando un laúd* (Cat. n.º 73) atribuida a Jan van Bijlert (c. 1597-1671) con las obras de Hals, podrá percibirse una misma manera de explotar los efectos teatrales derivados de la fijación instantánea del gesto de los personajes (las miradas, las manos o el movimiento del perro que desarregla el vestido de la niña en el grupo familiar). Podrán verse también diferencias importantes: sobre todo la luz y la perspectiva naturales de Hals, en contraste con la iluminación focal y la perspectiva forzada de los caravaggistas.

Con estos cambios estilísticos que le apartaban del caravaggismo Hals contribuyó a definir el nuevo rumbo que iba a tomar en Holanda la pintura de escenas de la vida cotidiana. La crítica del siglo XIX, que la consideraba expresión vitalista del genio nacional holandés, vió en este tipo de pintura una ruptura con el clasicismo y un avance precursor del realismo moderno. Hoy sabemos que no es difícil encajarla en el marco doctrinal del clasicismo tal como era entendido en los siglos XVI y XVII, tanto en Holanda como en Italia. La distinción entre los géneros de la tragedia y la comedia, que tiene su origen en la Antigüedad, justificaba unas formas de expresión

179. **Frans Hals**
Grupo familiar ante un paisaje, 1645-48

Óleo sobre lienzo. 202 x 285 cm.

artística, por así decirlo "bajas", adecuadas para describir la realidad en lo que tiene de característico; en este ámbito, que en el caso del teatro sería el de la comedia, el artista podía prescindir de la idealización y de las reglas formales exigidas para las formas "altas" de expresión. Los equivalentes respectivos de esta jerarquía en el arte de la pintura eran, por una parte la representación de "historias" religiosas o mitológicas, y por otra la de escenas de costumbres. A pesar de todo ello, aunque la pintura de "historias" no dejara nunca de cultivarse en Holanda, la importancia que adquirió allí lo que terminó por conocerse como "pintura de género" constituye una diferencia importante respecto del clasicismo italiano e internacional. Su peso contribuyó a que la pintura holandesa derivara en el siglo XVII hacia fórmulas estilísticas nuevas.

Pintura holandesa del siglo XVII. Escenas de la vida cotidiana, interiores y paisajes

El inicio de esta deriva diferenciadora de la pintura costumbrista holandesa podría situarse en la obra de Adriaen Brouwer (c. 1605-1638), un pintor flamenco que trabajó en el taller de Hals. *Escena aldeana* (Cat. nº 65) ilustra los efectos del vino; el tema, visto a la manera satírica y moralizadora de los proverbios populares, se inserta en una tradición flamenca que había cultivado ya en el siglo XVI Pieter Brueghel el Viejo. La novedad reside en el tratamiento pictórico: la espontaneidad al componer la escena, la paleta terrosa y la pincelada, que parece un equivalente pictórico del trazo casi caricaturesco de los grabados costumbristas.

Tras haber vivido en Holanda (Haarlem y Amsterdam) Brouwer se instaló en Amberes. Su pintura sirvió como punto de partida para la de David Teniers II (1610-1690), artista también flamenco cuya enorme producción contribuyó a difundir el género costumbrista en los países católicos, especialmente en Francia y España. La pince-

195. **Pieter de Hooch**
Interior con una mujer cosiendo y un niño, c. 1662-68

Óleo sobre lienzo. 54, 6 x 45,1 cm.

241. **Nicolaes Maes**
El tamborilero desobediente, c. 1655

Óleo sobre lienzo. 62 x 66,4 cm.

lada de Teniers es más ajustada que la de Brouwer y aunque su paleta también es reducida, el pintor se permite incluir toques aislados de carmines, azules o verdes. La razón principal de su éxito reside quizá en su capacidad para componer escenas variadas e interesantes (Cat. n°s 386 y 387). Con su obra y la de sus coetáneos holandeses, Adriaen van Ostade (1610-1685) (Cat. n° 306) y Gerrit Dou (1613-1675) (Cat. n° 132) la pintura costumbrista se afianza y expande para satisfacer una demanda creciente. A este proceso corresponde otro de consolidación estilística: la invención de fórmulas compositivas susceptibles de ser repetidas con variantes, y la fijación de un lenguaje pictórico más suave y convencional. La evolución se acentúa en la obra de los artistas de la generación siguiente a la que pertenecen Gabriel Metsu (1629-1667) (Cat. n° 285), Jacob Ochtervelt (1634-1682) (Cat. n° 304) y Jan Steen (1625 o 1626-1679). Los cuadros de Steen contienen frecuentemente referencias a caracteres y situaciones teatrales, como en el supuesto *Autorretrato* (Cat. n° 373), que nos presenta a un personaje vestido (arcaicamente) para el teatro, o *Escena de Taberna*

Pintura holandesa del siglo XVII. Escenas de la vida cotidiana, interiores y paisajes

(Cat. nº A. 826), que parece extraida de una situación de *Comedia dell'Arte:* un proxeneta ofreciendo una mujer embarazada a un hombre de edad avanzada absorto en el placer de encender su pipa.

Al mismo tiempo se produce una importante innovación: aparece ese tipo de pintura de costumbres que se denomina a veces intimista y que protagonizaron artistas como Gerard ter Borch, Pieter de Hooch y sobre todo Jan Vermeer. Aunque sus contemporáneos seguían viendo en ella significados alegóricos, tales como la oposición entre la vida activa y la vida contemplativa, la dependencia de esta pintura respecto de la literatura o del teatro se atenúa para dar paso a un interés más directo por la vida doméstica y una mayor preocupación por problemas puramente pictóricos. *Retrato de un hombre leyendo* (Cat. nº 392) de Gerard ter Borch (1617-1681), de la sala 21 que hemos preferido agrupar con los retratos, se encuentra próximo a este género y *El Tamborilero desobediente* (Cat. nº 241) de Nicolaes Maes (1634-1693) es un buen ejemplo del mismo. Sin embargo, el artista que mejor lo representa aquí es Pieter de Hooch (1629-1684). En *Interior con una mujer cosiendo y un niño* (Cat. nº 195) Hooch se concentra en el tratamiento de la luz y en ordenar el espacio por medio de una sucesión de planos frontales dispuestos en profundidad. Esas mismas preocupaciones pictóricas parecen ser el principal motivo inspirador de *La Sala del Concejo del Ayuntamiento de Amsterdam* (Cat. nº 196). El artista ha recurrido a difíciles juegos de perspectiva (por ejemplo el ángulo de visión exageradamente abierto) con el fin de acentuar la sensación del espectador de encontrarse dentro de la sala; al mismo efecto concurre el tratamiento del color. En cuanto a las figuras, parecen haber sido pintadas solo para dar escala y consistencia al espacio.

Cuando Hooch llegó a Amsterdam, Emanuel de Witte (c. 1617-1692) era el pintor que gozaba allí de mayor fama como especialista en interiores arquitectónicos (Cat. nº 439). Pero el principal maestro holandés en este género era Pieter Saenredam (1597-1665), cuya vida profesional transcurrió en Haarlem. Su estilo podría describirse como una combinación de meticulosidad e inspiración poética por partes iguales. Conocedor profundo de las reglas de la perspectiva y de la arquitectura, las usaba expresivamente, recurriendo a deformaciones sutilmente disfrazadas de objetividad. Contemporáneo de los caravaggistas, Saenredam es, como ellos, aunque por vías opuestas, un pintor de la luz. *La fachada occidental de Santa María de Utrecht* (Cat. nº 362) es uno de los

362. Pieter Saenredam
La fachada occidental de Santa María de Utrecht, 1662

Óleo sobre tabla. 65,1 x 51,2 cn.

pocos cuadros suyos en que se representa el exterior de un edificio. Un mosaico de pinceladas grises plateadas y doradas, con toques ocasionales de rosa, amarillo verdoso o azul plomizo describe la incidencia de la luz blanda de un mediodía holandés sobre los sillares del edificio medieval.

Pintura holandesa del siglo XVII. Escenas de la vida cotidiana, interiores y paisajes

Si de las vistas arquitectónicas y urbanas pasamos al paisaje, puede observarse también una trayectoria específicamente holandesa que constituye, junto a la de la pintura costumbrista, su otro gran rasgo diferenciador.

Para ilustrar la dirección que tomó esta evolución pueden compararse *Paisaje montañoso* (Cat. n.º 365) de Roelandt Savery (1576-1639) pintado en 1609, *Paisaje con hombres armados* (Cat. n.º 370) de Hercules Segers (1589-1633), pintado en torno a 1630, y *Vista de Naarden* (Cat. n.º 354) de Jacob van Ruisdael (1628-1682), pintado en 1647. Aunque holandés, Savery trabajaba en Praga al servicio de Rodolfo III cuando pintó *Paisaje montañoso*. Su aspecto literario y fantástico se entiende mejor en el contexto del gusto tardomanierista que dominaba la corte imperial. Sin embargo, el cuadro está probablemente compuesto a partir de apuntes tomados del natural por el propio artista en el Tirol. También la obra de Segers es una composición imaginaria, pero sus connotaciones literarias importan menos. El esquema compositivo de un horizonte de llanura que se pierde en la lejanía, enmarcado por un primer plano de árboles o de colinas bajas, es una invención suya que tuvo una gran

370. **Hercules Segers**
Paisaje con hombres armados, c. 1625-35

Óleo sobre lienzo. 36,5 x 54,3 cm.

84

354. **Jacob van Ruisdael**
Vista de Naarden, 1647

Óleo sobre tabla. 34, 8 x 67 cm.

fortuna entre sus contemporáneos por lo que suponía de desafío técnico; el problema reside en conseguir que el cuadro dé la sensación de espacio sin apoyarse en la perspectiva lineal. Segers lo consigue en parte por el color y en parte por medio de grupos de edificios o de árboles que ayudan a establecer planos sucesivos de profundidad. En el caso de la obra de Ruisdael estamos ante un paisaje real y familiar para sus contemporáneos. El efecto de profundidad se consigue casi exclusivamente por medio de la gradación de color y de la alternancia de planos sombreados y soleados que se suceden hasta perderse en el horizonte.

Las cualidades del paisajismo holandés que más habían de admirar los impresionistas, la sencillez y espontaneidad de visión y la veracidad de la luz se alcanzaron a finales de la década de los 30 y se deben a la maduración estilística de los pintores nacidos en torno a 1600. A esa generación pertenecen Jan van Goyen (1596-1656) y Salomon van Ruysdael (c. 1600-1670), tío de Jacob. *Paisaje invernal* (Cat. nº 167) de Van Goyen ilustra su característica manera casi monocromática. Las connotaciones literarias del tema (los trabajos y las estaciones del año) pierden importancia frente al problema de la representación del espacio y de la luz invernal.

Meindert Hobbema (1638-1709) y Aelbert Cuyp (1620-1691) son, junto al ya mencionado Jacob van Ruisdael, las figuras más destacadas de la segunda generación de paisajistas. *Paisaje con puesta de sol* (Cat. nº 117) de Cuyp combina motivos topográficos extranjeros

Pintura holandesa del siglo XVII. Escenas de la vida cotidiana, interiores y paisajes

(el macizo rocoso que cierra el horizonte) con una luz crepuscular como la de Claudio de Lorena y un colorido tonal de concepción típicamente holandesa.

La interdependencia de luz, color y espacio pictórico, que fue la mayor aportación del paisajismo holandés a la historia de la pintura, se presta a un tratamiento especialmente sutil en las marinas, donde la línea del horizonte está definida por el encuentro entre el cielo y agua. Aunque *Vista de Alkmaar* (Cat. nº 793), pintado por Salomon van Ruysdael, represente una topografía fluvial, la evocación del espacio por medio de la modulación tonal de azules, blancos y grises podría ilustrar los mejores valores pictóricos de las marinas. La obra es un prodigio de belleza, sencillez, calma y transparencia. La de su sobrino Jacob, *Mar tormentoso* (Cat. nº 359), explora el contraste entre la oscuridad de las olas agitadas y la blancura de su espuma en la luz de la tormenta. Este fue probablemente el cuadro que vio John M.W. Turner siglo y medio más tarde en una colección londinense y en el que, según su biógrafo Cunningham, se inspiró para pintar su propio mar tormentoso, que presentó a la exposición de la Royal Academy de 1827 bajo el título de *Port Ruysdael*.

117. **Aelbert Cuyp**
Paisaje con puesta de sol, después de 1645

Óleo sobre tabla. 48,3 x 74,9 cm.

793. **Salomon van Ruysdael**
Vista de Alkmaar desde el mar, c. 1650

Óleo sobre tabla. 36 x 32,5 cm.

27 Naturalezas muertas del siglo XVII

La pintura de naturalezas muertas se desarrolló sobre todo a patir de finales del siglo XVI. Aunque se cultivó también en Italia, Francia y España, suele considerarse tradicionalmente un género típicamente holandés. El rechazo calvinista del arte religioso habría llevado a una pintura interesada exclusivamente en cuestiones técnicas y en registrar la apariencia de las cosas. La naturaleza muerta sería una lección de observación y de pintura. En contra de esta explicación, en la historiografía reciente se han subrayado sus funciones simbólicas. El caso más importante sería el simbolismo de las denominadas "vanidades". Así, el reloj abierto que puede advertirse en los cuadros de Kalf (1619-1693) (Cat. nº 202 y 204) o la copa rota de la composición de Heda (1593-1680) (Cat. nº 181) podrían verse como figuras de la proximidad de la muerte. Las orugas y mariposas de las composiciones de flores podrían aludir a la acción devoradora del tiempo.

Las naturalezas muertas con flores nos llevan también a otros tipos de significados. Las especies raras que A. Bosschaert (1573?-1621) ha seleccionado para *Vaso chino con flores* (Cat. nº 56) deben entenderse como expresión del interés de su clientela por las ciencias naturales; el cuadro sería una especie de retrato botánico destinado al disfrute de científicos y aficionados.

Además del de flores, en la Holanda del siglo XVII se desarrollaron otras formas de coleccionismo: porcelanas chinas, alfombras u orfebrería. Y, por supuesto, pintura. El hecho de que un cuadro, además de ser retrato de una colección, sea en sí mismo una obra coleccionable se presta a reflexiones interesantes. En el epitafio de Kalf compuesto por el poeta Van der Hoeven se afirma que el artista sabía pintar los más ricos tesoros, pero que ningún tesoro podría pagar su mérito como pintor.

Volvemos así a la interpretación tradicional: el bodegón es una lección de saber ver y de saber pintar. Pero esto no contradice sus interpretaciones simbólicas. En un breve texto sobre las "vanidades" André Chastel comparaba la mesa sobre la que se componen los objetos de la naturaleza muerta con un ara sacrificial: cuanto más capaz sea el pintor de captar la frescura de los pétalos, la suavidad de las telas, la diversidad de reflejos en líquidos y metales, tanto más dramática y eficazmente cumplirá su función de denuncia de la vanidad de las apariencias.

181. Willem Heda
Bodegón con pastel de frutas y diversos objetos, 1634

Óleo sobre tabla. 43,7 x 68,2 cm.

180. Juan van der Hamen y León
Bodegón con loza y dulces, c. 1627

Óleo sobre lienzo. 77 x 100 cm.

28 Pintura del siglo XVIII. Del Rococó al Neoclasicismo

A finales del siglo XVII y comienzos del XVIII pueden percibirse en la cultura europea los síntomas de una crisis profunda. Una de sus consecuencia es un cambio de gusto por el que se ponen en cuestión los valores clásicos tal como los defendía la Academia: la primacía del dibujo y de la composición, el idealismo estético, y la jerarquía de las formas de expresión. En lugar de tratar de admirar o edificar moralmente al espectador, la obra de arte procura apelar a sus sentimientos y complacerle. Es significativo que el nuevo gusto, que pasó a la historia con el nombre despectivo de "rococó", se originara precisamente en los ámbitos de la decoración y de la pintura de género.

Desde Francia el Rococó se difundió con rapidez al resto de Europa gracias a la creciente internacionalización de las costumbres de la aristocracia. Esta misma red de difusión, tan característica del siglo XVIII, permitió que a mediados de siglo se extendiera, como reacción al Rococó, un nuevo gusto: el Neoclasicismo. A pesar de su carácter restaurador, el Neoclasicismo no es un fenómeno simple; si defiende los valores académicos lo hace en función de una búsqueda de fundamentos morales y racionales para la actividad artística. Aliado del movimiento enciclopedista, su desarrollo participa de la complejidad de la historia de la Ilustración. A finales de siglo se asocia con la Revolución Francesa, pero también, en Inglaterra por ejemplo, con las tendencias antirrevolucionarias, y en muchas partes con las primeras oleadas del Romanticismo.

El primero de los grandes pintores del Rococó es Antoine Watteau (1684-1721). El Museo posee dos obras suyas. *El Descanso* (Cat. n.º 431) forma parte de una serie de cuadros con escenas militares que el artista pintó en su primera juventud. *Pierrot alegre* (Cat. n.º 432) representa una escena de jardín en la que aparecen personajes vestidos como caracteres de *Comedia dell'arte;* por su tema se relaciona con la serie denominada "fiestas galantes", a la que pertenece la obra por la que fue admitido en la Academia, el célebre *Embarque para Citerea.* Inspirado en Rubens y Tiziano, a quienes admiró y estudió en las colecciones parisinas, el estilo pictórico de Watteau, es profundamente innovador y personal. Seguidores suyos en el estilo, pero sobre todo en los temas, son Nicolás Lancret (1690-1734) de quien el Museo conserva dos obras (Cat. n.os 215 y 216) y Jean-Baptiste Joseph Pater (1695-1736) del que se presenta *Concierto campestre* (Cat. n.º 313).

El mejor exponente del gusto rococó es quizá François Bou-

432. **Jean-Antoine Watteau**
Pierrot alegre, c. 1712

Óleo sobre lienzo. 35 x 31 cm.

cher (1703-1770), artista protegido por Madame Pompadour. Las
escenas de sus cuadros, pintados con un colorido grato y luminoso,
apelaban directamente al imaginario colectivo de su amplia clientela. *La toilette* (Cat. nº 58) es una de sus obras más características
y de mayor calidad.

El caso de Jean-Baptiste Siméon Chardin (1699-1779) es un
buen ejemplo de la complejidad cultural del siglo XVIII. Pese a la
coherencia estilística de su pintura, fue apreciado por las razones
más diversas y desde bandos contrarios. Seguidor de la moda
holandesa, que se difundió en Francia al mismo tiempo que el

Pintura del siglo XVIII.
Del Rococó al Neoclasicismo

Rococó, fue sin embargo admitido en la Academia en 1728, y precisamente, por sus naturalezas muertas. Más adelante fue uno de los artistas preferidos por los enciclopedistas. El Museo cuenta con tres naturalezas muertas, las tres de 1728. *Bodegón con cántaro y caldero de cobre* (Cat. nº 118) se expone en la Sala 27, junto a la pintura holandesa del siglo anterior. *Bodegón con gato y raya* (Cat. nº 120) y su pareja (Cat. nº 119), obras en las que se ponen de manifiesto las cualidades pictórica alabadas por Diderot, se muestran en esta sala.

Jean-Honoré Fragonard (1732-1806) y Hubert Robert (1733-1808) entablaron amistad durante su estancia en la Academia de Roma a comienzos de los años 60, en un tiempo en que los modelos italianos volvían a servir como punto de referencia para el gusto francés. Robert se decantó finalmente por un paisajismo clasicista, como puede verse en *Interior del Templo de Diana en Nimes* (Cat. nº 343). Fragonard, poco interesado por la Academia y los encargos oficiales, retomó el estilo Rococó, que renovó profundamente gracias a su elaboración personal de la tradición pictórica veneciana. *El columpio* (Cat. nº 148), es un precedente importante de la célebre obra del mismo título que se conserva en la Wallace Collection de Londres; ambas fueron encargadas, por el mismo cliente, el Baron de Saint Julien. En el *Retrato de Mademoiselle Duthé* (Cat. nº A.805) pueden apreciarse la sutileza de colorido y agilidad de factura característica del estilo maduro del artista.

Inglaterra vive en este siglo un esplendor cultural y artístico sin precedentes. En el campo de la pintura merece destacarse la importancia que alcanza el retrato. Reynolds y Gainsborough, con concepciones de la pintura diametralmente opuestas, dieron las pautas por las que se rigió el género.

Sir Joshua Reynolds (1723-1792), fundador de la Royal Academy of Arts, fue uno de los teóricos más importantes del siglo. Creó, a partir del estudio de los clásicos, un estilo ecléctico que puede considerarse como una de las mejores formulaciones del neoclasicismo pictórico europeo. *La condesa de Dartmouth* (Cat. nº 334), obra de primera época, recuerda los retratos de Van Dyck. Thomas Gainsborough (1727-1788), la otra gran personalidad del siglo XVIII inglés, tiene un estilo de pincelada suelta y colorido luminoso. Como puede verse en el *Retrato de Sara Buxton* (Cat. nº 153), el artista trata de expresar la personalidad y el estado de ánimo del retratado por medio del vestido, del paisaje y de las tonalidades dominantes del cuadro.

120. **Jean- Baptiste Siméon Chardin**
Bodegón con gato y raya, c. 1728

Óleo sobre lienzo. 79,5 x 63 cm.

29-30 Pintura norteamericana del siglo XIX

Las obras que se presentan en las salas 29 y 30 pertenecen a un capítulo de la historia del arte prácticamente desconocido en la museística europea. La pintura norteamericana del siglo XIX comienza a perfilarse como una escuela nacional con características propias a partir de su peculiar recepción del Romanticismo, que coincide con los comienzos de la Independencia de los Estados Unidos. Antes de la Independencia, el arte de lo que era todavía una sociedad colonial se encontraba bajo una fuerte influencia británica. El artista más destacado era John Singleton Copley (1738-1715), en cuyos retratos, caracterizados por una gran precisión de dibujo se ha perpetuado la apariencia de algunos de los personajes más sobresalientes de su época. El Museo cuenta con tres obras pertenecientes a su etapa norteamericana, *Retrato del Juez Martin Howard,* 1767 (Cat. nº 99), *Retrato de Miriam Kilby, mujer de Samuel Kilby,* h. 1764 (Cat. nº 98) y *Retrato de Catherine Hill, mujer de Joshua Henshaw II,* 1772 (Cat. nº 97). Entre sus seguidores destaca Charles Wilson Peale (1741-1827), cuyo *Retrato de Isabella y John Stewart,* c. 1775 (Cat. nº 315) continúa la tradición europea del siglo XVIII.

A partir de la Independencia la nueva inspiración romántica y nacionalista encontrará su mejor vehículo de expresión en el paisaje. Este paisajismo cuya tendencia principal es la llamada Escuela del Río Hudson, se caracteriza por la exaltación de la naturaleza, acorde con una actitud que ve el territorio americano como un nuevo jardín del Edén, una tierra virgen dada a los pioneros como recompensa por los esfuerzos realizados.

El fundador de la Escuela del Río Hudson fue Thomas Cole (1801-1848), pintor y grabador de origen inglés. Sus obras, *Expulsión. Luna y luz de fuego* (Cat. nº 95) y *Cruz al atardecer* (Cat. nº 96) son ejemplo de una tendencia simbolista y espiritualista que tiene su contrapartida inglesa en la obra de los seguidores de Turner. Como seguidores de Cole encontramos a su único discípulo Church y varios pintores como Durand, Kensett, Cropsey y Bierstadt, todos ellos representados en el Museo, que prolongan la tradición del paisajismo romántico a lo largo de todo el siglo XIX.

Junto a la escuela romántica se desarrolla la tendencia luminista cuya aproximación al paisaje es más lírica. Entre sus cultivadores destacan Martin Johnson Heade (1819-1904) y Fitz Hugh Lane (1804-1865) que pinta marinas y paisajes de la costa este de EE.UU como, *Spouting Rock* (Cat. nº 577) del primero y *El fuerte y la isla Ten Pound, Gloucester, Massachussetts* (Cat. nº 635) del segundo.

91. James Goodwyn Clonney

Pesca en el estrecho de Long Island a la altura de New Rochelle,1847

Óleo sobre lienzo. 66 x 92,7 cm.

95. Thomas Cole

Expulsión.Luna y luz de fuego, c. 1828

Óleo sobre lienzo. 91,4 x 122 cm.

Pintura norteamericana
del siglo XIX

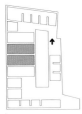

De forma paralela al desarrollo del paisaje aparece una tendencia específicamente americana, la pintura costumbrista. En ella se observan dos vertientes: por un lado escenas de la vida cotidiana, como el cuadro de James G. Clonney (1812-1867) *Pesca en el estrecho de Long Island a la altura de New Rochelle* (Cat. nº 91) que, pintado antes de la Guerra de Secesión, se puede ver como una imagen idílica de la sociedad norteamericana de comienzos del siglo XIX. Por otro lado una pintura de inspiración etnológica, lo que podría denominarse "pintura de indios", que constituye una especie de proyección de la fantasía aventurera de los conquistadores del Oeste y de su expansión colonizadora. En ella se registra una evolución que se extiende desde los años cuarenta hasta las primeras décadas del siglo XX. En un primer tiempo los artistas pintan escenas que pueden haber visto directamente; este es el caso, por ejemplo, de la obra de George Catlin (1796-1872) *Las cataratas de St. Anthony* (Cat. nº 487). A partir de la Guerra de Secesión, con la modernización de la sociedad norteamericana, los "cuadros de indios" se hacen cada vez más estereotipados, como es el caso de la escena nocturna de Frederick Remington (1861-1909) *Señal de fuego apache* (Cat. nº 722).

Otra singularidad de la pintura norteamericana es el desarrollo de un tipo de naturaleza muerta, que se cultiva en las últimas décadas del siglo XIX y comienzos del XX, y que se caracteriza por la captación minuciosa de la realidad utilizando efectos ilusionistas de trampantojo. El Museo cuenta con cuadros de los mejores representantes de este género, William M. Harnett (1848-1892) y John F. Peto (1854-1907). En *Objetos para un rato de Ocio* (Cat. nº 574) Harnett presenta un grupo de objetos cotidianos pintados con una factura dura y dispuestos en una composición perfectamente equilibrada. Su seguidor Peto forzará al máximo esta tradición, como vemos en *Tom's River* (Cat. nº 700), obra en la que recurre a efectos ilusionistas, como el marco pintado, la cuerda que cuelga, la sombra de los clavos, la huella del papel arrancado, las letras incisas... elementos que acaban por dar al conjunto una sorprendente atmósfera de irrealidad.

La tendencia realista se desarrolla durante el último tercio de siglo cuando los artistas norteamericanos vuelven la vista hacia Europa. En ella destaca la figura de Winslow Homer (1836-1910), cuya pintura es un equivalente norteamericano del realismo de Courbet y de la Escuela de Barbizon, aunque su estilo sea inde-

700. John Frederick Peto
"Tom's River", 1905

Óleo sobre lienzo. 50,8 x 40, 6 cm.

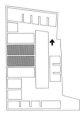

pendiente de la pintura francesa, como se puede ver en *Waverly
Oaks,* (Cat. nº 589) obra de juventud en la que es patente la inspiración romántica. En 1883 se instala en Prout's Neck, Maine, y sus obras
reflejan la dura vida de los pescadores, el poder del mar y el heroismo
del hombre en su lucha contra los elementos. A este período se adscribe
La señal de peligro (Cat. nº 588) de 1880.

Perteneciente a la misma generación de Homer, James A.
Whistler (1834-1906) es un artista que se sitúa en sus antípodas; es
el tipo de pintor americano desarraigado, que se instala en Europa
y desarrolla su carrera entre Londres y París. Su gusto por el arte
japonés le lleva a la simplicidad compositiva y cromática. A partir
de 1870, Whistler dedica más atención al retrato: su obra *Rosa y
oro: la napolitana* (Cat. nº 784) es una muestra del virtuosismo de
su pincelada y de su refinamiento en el tratamiento del color. La
influencia del Impresionismo y del arte japonés se manifiestan
también en William Merrit Chase (1849-1916) de quien se presentan
aquí *En el parque* (Cat. nº 502) y *El quimono* (Cat. nº 501).

Por último hay que señalar las obras de un pintor que, aunque
nacido en Florencia de padres americanos, no se considera totalmente americano, pues vivió largas temporadas en Venecia, París,
Londres y otras ciudades europeas. Se trata de John Singer Sargent
(1856-1925), artista que admiró la pintura de Velázquez y de Frans
Hals y que se mostró sensible a la influencia del Impresionismo. De
su período veneciano es *Vendedora de cebollas* (Cat. nº 731), pintura
notable por su pincelada suelta y su interés por los valores lumínicos.
En ella puede apreciarse la proximidad entre el estilo de Sargent y
el del español Sorolla, con quien le unió una estrecha amistad.
Sargent alcanzó una gran notoriedad como retratista de la aristocracia británica y americana. *Retrato de Millicent, Duquesa de Sutherland* (Cat. nº 732) ilustra característicamente este aspecto de su obra.

589. **Winslow Homer**
Waverly Oaks, 1864

Óleo sobre papel adherido a tabla. 33,6 x 25,4 cm.

31 Pintura europea del siglo XIX.
Del Romanticismo al Realismo

Un filtro crítico que aplicamos retrospectivamente hace que en el arte del siglo XIX veamos sobre todo los precedentes de la modernidad. Destacamos así el Impresionismo como período inicial del arte moderno, y en el resto del siglo los aspectos que parecen conducir al Impresionismo: la rebelión anticlásica del Romanticismo y del Realismo y la doctrina realista que circunscribe la expresión pictórica al dominio de las sensaciones.

La parcialidad crítica de este esquema no debe llevarnos a rechazarlo como inválido; la historia del arte abunda en esquemas parecidos, empezando por Vasari, que explicaba el arte de los siglos XIV y XV en función del Renacimiento del siglo XVI.

Sea como fuere, si se acepta la explicación que enlaza el arte de la Ilustración con el del siglo XX por medio de la sucesión de Romanticismo, Realismo e Impresionismo, ningún artista podría jugar el papel de principio y guía de esa evolución mejor que Goya (1746-1828). Los tres cuadros del Museo pertenecen al período de madurez del pintor. Destaca, por su delicadeza y audacia, el *Retrato de Asensio Julià* (Cat. n.º 166). Goya lo dedicó a un pintor, discípulo y amigo suyo, con ocasión de su colaboración en los frescos de San Antonio de la Florida. *El tío paquete* (Cat. n.º165), contemporáneo de las "pinturas negras", fue pintado poco antes del exilio del artista a Burdeos, donde había de terminar su vida.

Aunque Theodore Géricault (1791-1824) se asocia a los inicios del Romanticismo en Francia, su pintura evoca deliberadamente la monumentalidad de los modelos clásicos del Renacimiento italiano y de la escultura antigua. *Un episodio de la carrera libre de caballos* (Cat. n.º 157) es un buen ejemplo de ello. Plenamente románticos por su concepción y ejecución son en cambio los dos pequeños óleos de Delacroix (1798-1863) *Jinete árabe* y *El Duque de Orleans mostrando a su amante* (Cat. n.os 126 y 127).

Caspar David Friedrich (1774-1840) es el principal representante del Romanticismo alemán, diametralmente opuesto al francés. *Mañana de Pascua* (Cat. n.º 792), obra relativamente tardía, nos muestra su estilo ya depurado, reducido a lo esencial. La pintura de Friedrich es profundamente innovadora. Su único precedente está quizá en el luminismo holandés del XVII; pero el artista alemán rompe la interdependencia entre espacio y luz para privilegiar la luz, sentida como símbolo de la unidad de la naturaleza. La influencia directa de Friedrich no se extendió más allá del círculo de amigos y discípulos. Sin embargo, como ha demostrado recientemente el

166. Francisco de Goya
Asensio Julià, c. 1798
Óleo sobre lienzo. 54,5 x 41 cm.

792. Caspar David Friedrich
Mañana de Pascua, 1833
Óleo sobre lienzo. 43,7 x 34,4 cm.

Pintura europea del siglo XIX.
Del Romanticismo al Realismo

historiador Robert Rosenblum, su obra se situa en el origen de una tradición artística, centrada en la noción de lo sublime, que es específicamente nórdica y moderna y que atraviesa el siglo XIX y entra en el XX para llegar hasta artistas como Rothko (Vid. Sala 46).

La concepción unitaria de la naturaleza como un organismo en el que el todo es superior a la suma de las partes constituye una noción clave del Romanticismo. A comienzos del siglo XIX esta noción puede encontrarse tanto en Alemania como en Inglaterra. Su expresión inglesa más influyente, el poema filosófico *El Preludio* de Wordsworth, sirvió de fuente permanente de inspiración para John Constable (1776-1837). *La esclusa* (Cat. A.804) es un himno a esa campiña inglesa que sirve de telón de fondo a las reflexiones de Wordsworth o a los paseos de los personajes de Jane Austen. Es evidente la influencia del paisajismo holandés del siglo XVII, y especialmente la de Jacob van Ruisdael, que se encontraba entonces en el apogeo de su fama; pero esto no disminuye la originalidad del estilo de Constable.

Aunque por su sentimentalidad *La esclusa* se adscribe al Romanticismo, la evolución de Constable le llevó a un lenguaje cada vez más innovador basado en la observación directa de la naturaleza. A pesar de que fue poco conocida fuera de Inglaterra, su obra constituye objetivamente el precedente más importante del Realismo, y en último término, del Impresionismo.

La pintura realista francesa está representada en el Museo en sus dos vertientes más importantes. Gustave Courbet (1819-1877) hizo del realismo bandera política; creador de un estilo profundamente original, fue también uno de los mejores artistas del siglo. *El arroyo de Brème* (Cat. nº 495), realizado cuando había perdido ya casi todas las batallas políticas y artísticas, es una demostración de sus facultades como pintor nato. Camille Corot (1796-1875) es difícil de clasificar. Romántico, clasicista y realista, fue considerado como maestro por los Impresionistas. En *La salida para el paseo en el Parque de los Leones en Port-Marly* (Cat. nº 494), pintado en los últimos años de su vida, las figuras lejanas de unos muchachos estáticos entre los árboles se iluminan con esa luz plateada de la *Ile de France* que obsesionaba a Pissarro y a sus amigos.

A.804. **John Constable**
La esclusa, 1824

Óleo sobre lienzo. 142,2 x 120, 7 cm.

El Impresionismo tuvo su origen en el *Salón de los Rechazados,* creado en 1863 para acoger a los artistas que no habían sido aceptados en el *Salón* oficial, y sus miembros mantuvieron a partir de entonces una oposición sistemática al arte académico. Los críticos de la época y posteriormente muchos historiadores han visto en este movimiento el fin de un ciclo histórico, el de la pintura clásica y el comienzo de otra, la moderna. Hay que decir sin embargo, que muchas de las ideas y bastantes de las fórmulas estilísticas del Impresionismo derivan del realismo decimonónico. También se le podrían encontrar antecedentes en Constable y Turner y otras fuentes más lejanas como por ejemplo el paisajismo holandés del siglo XVII o la pintura veneciana.

¿En qué consiste pues lo revolucionario del impresionismo? En su tiempo se hablaba de su rechazo de la pintura de historia, mitológica y religiosa. Lo significativo es el rechazo de la contraposición entre dos tipos de expresión artística: una "formal", reservada para temas de trascendencia pública, y otra "informal", adecuada para los demás temas. La jerarquía implícita en esta distinción era parte esencial del sistema clásico de las artes y continuaba vigente entre los medios académicos y oficiales en la segunda mitad del siglo XIX. Los temas impresionistas por excelencia, el paisaje y la vida cotidiana de la ciudad, suponen una apuesta por la "banalidad" frente a la "trascendencia" oficial y ahí radica un primer signo de modernidad.

El segundo aspecto de la revolución impresionista concierne al lenguaje pictórico. Los impresionistas rechazan las reglas académicas en favor de la frescura de la invención personal, y sustituyen los requisitos de composición y forma (quizá los conceptos clave de la pintura clásica) por la exigencia de que el pintor se atenga a las sensaciones del color que registra su retina. De este modo la luz se convierte en protagonista del cuadro, hasta el punto de que algunos pintores impresionistas, como por ejemplo Monet en su conocida serie de la catedral de Rouen, repiten en diferentes cuadros el mismo tema a diferentes horas del día.

Los impresionistas fueron un grupo organizado y coherente desde 1874, fecha en que tuvo lugar su primera exposición colectiva, hasta los primeros años de la década siguiente; la disgregación del grupo se produjo cuando los artistas que lo integraban empezaron a recibir individualmente un mayor reconocimiento público.

El Museo posee obras de los principales pintores impresionistas. Debe mencionarse en primer lugar a Edouard Manet (1832-1883).

659. Edouard Manet
Amazona de frente, c. 1882

Óleo sobre lienzo. 73 x 52 cm.

712. Camille Pissarro
*La calle de St. Honoré después
del mediodía. Efecto de lluvia,1897*

Óleo sobre lienzo. 81 x 65 cm.

724. Pierre-Auguste Renoir
Mujer con sombrilla en un jardín, 1873

Óleo sobre lienzo. 54,5 x 65 cm.

Pintura impresionista y postimpresionista

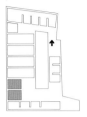

Mayor en edad que los demás impresionistas, Manet no llegó a asociarse al grupo de modo estable. A él se debe, más que a nadie, el nuevo énfasis en los temas de la vida cotidiana; sin embargo, nunca estuvo convencido de la necesidad de inventar un lenguaje sistemáticamente nuevo. De hecho su estilo se apoya en la historia de la pintura, aunque sea una historia muy selectiva, dominada por Velázquez, Hals y sobre todo Goya. En *Amazona de frente* (Cat. nº 659), realizada en 1882 un año antes de su muerte, el tratamiento de la luz puede considerarse impresionista; sin embargo el marcado contraste entre fondo y figura y la soltura de la pincelada (aunque debe tenerse en cuenta que este cuadro está inacabado) son características que recuerdan a Hals y diferencian el estilo de Manet del que compartían los otros impresionistas.

Edgar Degas (1834-1917) mantuvo a veces una actitud próxima a la de Manet. De los demás miembros del grupo impresionista le separaba la importancia que atribuía al dibujo, así como su aceptación de la autoridad de la pintura clásica. Por otra parte, ningún otro impresionista comprendió tan bién como él el carácter de la ciudad moderna y la influencia determinante que sus formas de vida iban a tener sobre la sensibilidad artística del cambio de siglo. Con la actitud distante, pero fascinada, del *voyeur* usaba frecuentemente la fotografía para analizar las transformaciones a que el cuerpo humano se veía sometido en el trabajo profesional de costureras, planchadoras, bailarinas, deportistas... *Bailarina basculando* (Cat. nº 515) pertenece a una serie dedicada al ballet que Degas comenzó a partir de 1876. En esta obra aprovecha las características peculiares del escenario teatral para experimentar con el espacio pictórico: mientras las bailarinas que esperan entre bambalinas se presentan frontalmente, las que actuan parecen hacerlo en un plano distinto que el espectador ve desde arriba como si estuviera en un palco. Degas refuerza esta distorsión del espacio encuadrando la escena como en una instantánea fotográfica, (o una estampa japonesa), y cortando el grupo de las bailarinas que actuan de modo que vemos completa sólo a la última de la fila. De la anterior alcanzamos a percibir parte de las piernas y la anterior es ya sólo un revuelo de gasas. El verdadero tema pictórico está en esos torbellinos, salpicados por los destellos de las lentejuelas e interrumpidos fugazmente por el blanco de las piernas, que emergen desde un fondo verdoso en el que, como en la pintura de Watteau y de Tiziano, los cuerpos y las sombras se confunden.

515. Edgar Degas
Bailarina basculando, 1877-79

Pastel sobre papel. 66 x 36 cm.

Pintura impresionista y postimpresionista

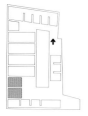

Las tres obras de Degas que tiene el museo, incluyendo la que se acaba de comentar, están realizadas al pastel. Esta técnica, desarrollada a fines del siglo XVIII, permite obtener colores de una pureza que no es posible conseguir de otro modo, pero requiere un alto grado de virtuosismo en la ejecución para que el resultado no sea banal. La maestría de Degas en el uso del pastel se pone en evidencia tanto por la precisión del trazo dibujístico de *Caballos de carrera* (Cat. A.838) como por la capacidad de evocar los tornasoles y reflejos de las plumas y telas que llenan la superficie pictórica de *En la modista* (Cat. nº 516). El virtuosismo técnico, y la complejidad espacial hacen de este último pastel una de las obras maestras de Degas.

Claude Monet (1840-1926) se contrapone a Degas por su rechazo sistemático de la tradición pictórica. En su estilo va abandonando gradualmente dibujo, composición, perspectiva y volumen para centrarse exclusivamente en las gradaciones de la luz y las calidades del color. Tanto *La cabaña en Trouville* (Cat. A.856) como *El deshielo en Vétheuil* (Cat. nº 680) fueron realizadas cuando el lenguaje de Monet había alcanzado su madurez. Esta última obra pertenece a una serie de vistas del Sena iniciada en 1878. Aplicando pequeños toques contiguos de pincel con colores contrastantes, el pintor consigue reproducir con precisión extraordinaria la incidencia de la luz invernal sobre el hielo y el agua en movimiento.

En un lugar próximo a Monet habría que situar a Pierre Auguste Renoir (1841-1920). El pastel *Muchacha sentada en un interior* (Cat. A. 864) ilustra el tema de la mujer, que aparece en su obra con frecuencia. *Campo de trigo* (Cat. A. 865) y *Mujer con sombrilla* (Cat. nº 724) son paisajes. Este último realizado en 1873 en un tiempo en que Renoir trabajaba frecuentemente con Monet, es un buen ejemplo de las cuestiones técnicas que preocupaban entonces a ambos artistas. Las cortas y rápidas pinceladas de colores vivos convierten la superficie pictórica en un tejido continuo de manchas y trazos; es a la vibración óptica de esa superficie pintada a la que se confía la función de recrear la impresión de conjunto del jardín florido bajo el sol.

El paisaje fue el género preferido por los impresionistas. Su cultivo era lo que más les unía al contexto general de la pintura del siglo XIX; era también lo que permitía que pintores que hacían concesiones a la tradición, como Eugène Boudin (1824-1898)

680. Claude Monet
El deshielo en Vétheuil, 1881

Óleo sobre lienzo. 60 x 100 cm.

516. Edgar Degas
En la modista, c. 1883

Pastel sobre papel. 75,9 x 84,8 cm.

Pintura impresionista y postimpresionista

(Cat. A. 476, A. 833 y A. 834) y Armand Guillaumin (1841-1927) (Cat. A. 845), pudieran ser considerados impresionistas. Entre los impresionistas principales, Alfred Sisley (1839-1899) y Camille Pissarro (1830-1903) no pintaron prácticamente más que paisajes. Poco interesado por la teoría, Sisley poseía en cambio una sensibilidad para el color y una facilidad de pincelada realmente notables; son estas cualidades las que hacen de *La Inundación en Port-Marly* (Cat. A. 869) una de las obras más bellas de estas salas. También Pissarro, a quien se suele considerar como el más puramente pintor de los impresionistas, manifestaba una parecida tibieza para la teoría y confianza en el oficio. El museo presenta tres obras suyas: dos de ellas (Cat. nº 761 y A. 861) son paisajes de bosques realizados en los primeros años de la década de los 70, cuando el grupo impresionista iniciaba su andadura. La tercera

557. **Vincent van Gogh**
Descargadores en Arles, 1888

Óleo sobre lienzo. 54 x 65 cm.

(Cat. nº 712) pertenece a una célebre serie de vistas de París que el artista pintó en los últimos años del siglo. La frescura de la luz empapada de llovizna que cae sobre la calle es típicamente impresionista; en la organización geométrica de la composición puede adivinarse en cambio la afinidad del Pissarro de finales del siglo con los jóvenes neoimpresionistas.

La última exposición del grupo impresionista se hizo en 1886. Cuando el Impresionismo comenzó a desvanecerse ningún otro movimiento definido por un programa sistemático llegó a alcanzar una hegemonía comparable a la suya. Los historiadores aplican la etiqueta del Postimpresionismo al arte que se produce entonces en París hasta los primeros años del siglo XX. Las tendencias más destacadas de ese período, el Simbolismo y el Neoimpresionismo, carecieron de organización y límites precisos; las contribuciones

559. **Vincent van Gogh**
"Les Vessenots" en Auvers, 1890

Óleo sobre lienzo. 55 x 65 cm.

más importantes a la pintura de final de siglo se deben a figuras aisladas.

A pesar de su afinidad con el Simbolismo, Paul Gauguin (1848-1903) puede considerarse un artista independiente. *Hombre en la carretera* (Cat. nº 552), de 1885, muestra un lenguaje pictórico todavía impresionista próximo al de Pissarro. En la segunda mitad de la década Gauguin se asocia con un grupo de artistas simbolistas; la pintura no es ya para él registro de sensaciones ópticas, sino, como la música, expresión de un mundo espiritual que se manifiesta en la obra a través de las emociones y estados de ánimo del artista. En 1891 Gauguin abandona Europa para instalarse en Polinesia. *Mata mua* (Cat. A. 842) forma parte de un conjunto de tres obras que el artista señalaba en una carta de finales de 1892 como culminación de lo que había realizado hasta entonces. El título, que puede traducirse por "érase una vez", y la escena representada, que se refiere al culto de la diosa polinesia de la fecundidad, Hina, evocan un mundo primitivo, no contaminado todavía por el hombre moderno, en el que la fusión entre hombre y naturaleza alcanza un valor de experiencia religiosa. Tanto por esta evocación de lo primitivo como por su lenguaje pictórico, basado en el color encendido y arbitrario y en la ausencia de profundidad, Gauguin fue uno de los artistas que mayor influencia tuvieron sobre los de la generación siguiente.

Si el primitivismo de Gauguin es un síntoma de la conciencia trágica de la modernidad que se forja en los círculos artísticos y culturales europeos hacia finales del siglo, el destino de Vincent van Gogh (1853-1890) se presenta como encarnación viva de esa conciencia. El Museo posee tres lienzos que representan tres momentos diversos de su corta producción pictórica. El más antiguo (Cat. nº 788), pintado en 1885, pertenece al período en que Van Gogh trabajó en Nuenen, Holanda; podría ponerse en relación con un pasaje de una carta dirigida a su hermano Theo este mismo año en la que dice "una de las cosas más bellas de este siglo ha sido pintar la oscuridad, que es también color". El dramatismo de este paisaje crepuscular, todavía postromántico, contiene un germen que estalla en el crepúsculo incendiario de *Descargadores en Arles* (Cat. nº 557), realizado tres años después al comienzo de su fecundo período provenzal. *Les Vessenots en Auvers* (Cat. nº 559) muestra la caligrafía alucinada característica de los paisajes que hizo en Auvers-sur-Oise durante los últimos meses de su vida.

A.842. **Paul Gauguin**
Mata Mua, 1892

Óleo sobre lienzo. 91 x 69 cm.

Pintura impresionista y postimpresionista

Henri de Toulouse Lautrec (1864-1901) es un artista a quien, como a Van Gogh, no se puede clasificar en ningún grupo o tendencia; pero su talante baudeleriano le situa en las antípodas del pintor holandés. Su visión irónica y estilizada de la ciudad moderna ejerció una gran influencia sobre los artistas jóvenes de comienzos de nuestro siglo. El Museo posee un grupo de litografías que ilustran el aspecto más conocido de su obra y que se exponen en la zona de descanso que sobrevuela el patio central. Posee también dos óleos que se exponen aquí, el de un amigo suyo, *Gaston Bonnefoy* (Cat. nº 773), y el de una de sus modelos habituales, apodada la Pelirroja(Cat. nº 774). En este bellísimo cuadro, pintado en 1889 cuando el impresionismo va desapareciendo como movimiento, el pintor se esfuerza todavía por captar efectos de luz; sin embargo, la pincelada pastosa y la construcción del volumen por facetas hace pensar en la búsqueda cezanniana de un estilo que reuniera la modernidad del Impresionismo y la solidez del arte de los museos.

Fue esta síntesis la que hizo que ningún artista del siglo XIX influyera tanto como Paul Cézanne (1839-1906) sobre el siglo XX. Durante la primera mitad de su carrera pictórica el estilo de Cézanne estuvo próximo al de los impresionistas, sobre todo al de Pissarro; pero el lugar destacado que ocupa en la historia de la pintura se debe a la obra que realizó a partir de 1890. *Retrato de un campesino* (Cat. nº 488) constituye un ejemplo magnífico del estilo pictórico de esos años. La luz que baña la figura tiene la frescura e inmediatez de la mejor pintura impresionista, pero Cézanne utiliza el color para construir, en lugar de disolver los volúmenes en la atmósfera. Es esto lo que hará de la última obra de Cézanne el punto de partida de la aventura cubista de Braque y de Picasso. Si los impresionistas habían aprovechado una de las vertientes de la herencia veneciana, la que pasa por Watteau y Turner, Cézanne parece volver a la lección central de Tiziano y del Alto Renacimiento. Haciéndolo abría las puertas del nuevo siglo.

488. Paul Cézanne
Retrato de un campesino, 1901-06

Óleo sobre lienzo. 65 x 54 cm.

En el filo del nuevo siglo surgen una serie de movimientos artísticos que ocupan casi en exclusiva la frontera innovadora del arte moderno hasta la llegada del Cubismo. El Fauvismo en Francia y el Expresionismo en Alemania son sus manifestaciones más importantes.

Estos movimientos tienen en común la siguientes características: 1) la influencia de los pintores postimpresionistas, sobre todo Gauguin y Van Gogh. 2) El uso del color con fines simbólicos o emocionales. 3) Una concepción expresionista de la creación artística como exteriorización de la energía emocional del artista. 4) Una actitud de rebeldía frente a la sociedad burguesa, que en bastantes casos deriva hacia una abierta simpatía por el anarquismo.

El Fauvismo se dió a conocer en 1905 por la decisión de un grupo de artistas jóvenes franceses de mostrar sus obras agrupadas en el Salón de Otoño. El crítico de arte Louis Vauxcelles les aplicó el calificativo de *"fauves"* (fieras) irónicamente; pero el epíteto se generalizó pronto porque parecía una buena caracterización de su estilo pictórico. Los fauves no formaron nunca un grupo organizado y la duración del movimiento, que empezó a dispersarse en 1907, fue breve.

Su figura clave fue Henri Matisse (1869-1954). *Las flores amarillas* (Cat. nº 664), que se presenta en la sala 35, es una obra pintada en 1902, antes de que se constituyera el grupo fauve; tanto el espacio pictórico como el uso del color parecen evocar los pasteles de Degas. Junto con Matisse, André Derain (1880-1954) y Maurice Vlaminck (1876-1958) forman lo que el historiador John Elderfield denominó "el triángulo esencial del Fauvismo". *El puente de Waterloo* (Cat. nº 524) de Derain es uno de los ejemplos más brillantes del estilo fauve en su apogeo. Son evidentes las influencias de Van Gogh y de los neoimpresionistas; pero la obra irradia una energía impersonal, puramente física, que la adscribe a la sensibilidad del nuevo siglo. *Los olivos* (Cat. A .883) de Vlaminck, con su colorido ácido y su factura atormentada, muestra una mayor dependencia de Van Gogh.

Del llamado grupo de Le Havre, formado por los pintores fauves más jóvenes, el Museo presenta sólo una obra de Raoul Dufy (1877-1953). *La pequeña palmera* (Cat. A. 839), pertenece a una serie poco numerosa, pero interesante, de óleos fechados en torno a 1905 en los que el artista trata de evocar por medio de colores casi planos el espacio y la luz de un interior con plantas.

524. André Derain
El puente de Waterloo, 1906

Óleo sobre lienzo. 80,5 x 101 cm.

A.883. Maurice Vlaminck
Los Olivos, 1905-06

Óleo sobre lienzo. 53,5 x 65 cm.

35-40 Pintura expresionista

El Expresionismo es un amplio movimiento, un estado de ánimo colectivo que dura, con numerosos cambios y oscilaciones, desde finales del siglo XIX hasta mediados del XX.

Descansa sobre un supuesto básico: la obra de arte, más que dar a conocer la realidad de las cosas, debe expresar un sentimiento o emoción. En contraste con el Impresionismo, que permanece ligado a las sensaciones y a la visión exterior del mundo, el Expresionismo da prioridad a la visión interior del artista. Desde el punto de vista estilístico supone el predominio del color sobre el dibujo y una acentuada distorsión de las formas.

Las obras que se presentan en las salas 36 a 40 ilustran la producción de los principales focos expresionistas alemanes: Dresde, Berlín y Munich. En la sala 35 se presentan obras de artistas no alemanes afines al Expresionismo.

El pintor noruego Edvard Munch (1863-1944) ejerció una influencia importante sobre los artistas de Dresde y Berlín. *Atardecer. Laura, la hermana del artista* (Cat. nº 689), obra de primera época, está impregnada de la poética simbolista del fin de siglo; el sentimiento de aislamiento y depresión que gravita sobre la figura femenina sentada en primer término, parece encontrar su eco en la luz y en el color del paisaje. *El teatro de máscaras* (Cat. nº 534) del pintor belga James Ensor (1860-1949), contemporáneo de Munch, tiene un color luminoso y ácido y un dibujo que distorsiona las formas haciéndolas más irreales y al mismo tiempo más expresivas.

En la Viena de fin de siglo el Expresionismo prende sobre todo entre los artistas de la generación más joven, como Egon Schiele (1890-1918) y Oskar Kokoschka (1886-1980). Aunque ambos parten de Gustav Klimt, se apartan de la linealidad fluida y decorativa de su estilo. La trama de líneas verticales y horizontales que estructura *Casas junto al río. La ciudad vieja* (Cat. nº 739) tiene una doble función: plástica, para acentuar el aplanamiento del espacio pictórico, y expresiva, para reforzar la impresión de decadencia que el artista asocia a este paisaje urbano. En la amplia producción artística de Kokoschka destacan dos géneros: el paisaje y el retrato. En *Retrato de Max Schmidt* (Cat. nº 629) la pincelada rápida y la crispación de las manos y del gesto derivan de Van Gogh, pero el paroxismo al que Kokoschka lleva estos recursos expresivos es característico de sus obras de juventud.

La primera manifestación programática del Expresionismo

739. Egon Schiele
Casas junto al río. La ciudad vieja, 1914

Óleo sobre lienzo. 100 x 120,5 cm.

689. Edvard Munch
Atardecer. Laura, la hermana del artista, 1888

Óleo sobre lienzo. 75 x 100,5 cm.

Pintura expresionista

alemán se da en el grupo *El Puente (Die Brücke)*, formado en Dresde en 1905, el mismo año en que aparece el Fauvismo en París. Estuvo integrado en un primer momento por cuatro jóvenes estudiantes de arquitectura: Ernst Ludwig Kirchner, Erich Heckel, Karl Schmidt-Rottluff y Fritz Bleyl. Una de las características más llamativas del grupo es su cohesión y homogeneidad. Buscando un lenguaje pictórico común, sus miembros trabajaban juntos y compartían los mismos estudios, modelos y clientes.

La colaboración más estrecha fue la de Karl Schmidt-Rottluff (1884-1976) con Erich Heckel (1883-1970). Hasta 1912 los dos artistas pasaron juntos en Dangast, Oldenburg, cerca del Mar del Norte, largas temporadas de trabajo veraniego. *Paisaje de otoño en Oldenburg* (Cat. nº 742) de Schmidt-Rottluff y *La fábrica de ladrillos (Dangast)* (Cat. nº 579) de Heckel son ejemplos de esta colaboración. La paleta de verdes, rojos, amarillos y azules brillantes que se ve en estos cuadros debe bastante a Van Gogh.

Ernst Ludwig Kirchner (1880-1938) fue sin duda el artista más importante del grupo. *Doris con cuello alto* (Cat. nº 613), *Mina de arcilla* (Cat. A.853) y *Mujer en un bosquecillo de abedules* (Cat. A.854b) muestran el lenguaje pictórico que los miembros de *El Puente* compartían en los años iniciales del grupo. *Fränzi ante una silla tallada* (Cat. nº 789) refleja el interés del pintor por el arte primitivo. La modelo Fränzi, cuyo rostro aparece en primer término, era una niña de 11 años que posaba habitualmente para Kirchner y otros miembros del grupo. La muchacha está sentada en una silla tallada por el propio artista cuyo respaldo imita una máscara africana; es notable el contraste entre los tonos verdes del rostro de Fränzi y los rosados de la máscara.

Aunque no fue miembro fundador del grupo, Max Pechstein (1881-1955) se unió a *El Puente* en 1906. La Colección presenta dos obras suyas. *Mercado de caballos* (Cat. A.860) fue realizada durante el verano de 1910 en Moritzburg, cerca de Dresde, y muestra algunas influencias de la pintura fauve que Pechstein había conocido en París en 1908. *Verano en Nidden* (Cat. nº 699) pertenece a su período de madurez y refleja la orientación primitivista que se acentúa en su obra a partir de 1914, tras un viaje a las Islas Palau, Oceanía.

En 1911 los miembros de *El Puente* se trasladan a Berlín; a partir de entonces su paleta se simplifica y el espacio pictórico de los cuadros se distorsiona alejándose de las reglas de la perspectiva.

742. Karl Schmidt-Rottluff
Paisaje de otoño en Oldenburg, 1907

Óleo sobre lienzo. 76 x 97,5 cm.

579. Erich Heckel
La fábrica de ladrillos, Dangast, 1907

Óleo sobre lienzo. 68 x 86 cm.

Pintura
expresionista

A este período pertenecen dos obras de Kirchner que se muestran aquí: *La Cala* (Cat. n⁰ 618), un importante paisaje de los años de preguerra y *Escena callejera berlinesa* (Cat. n⁰ 614) que forma parte de una serie de paisajes urbanos de Berlín realizados entre 1913 y 1914. A partir de 1917 Kirchner se retira a Suiza y desarrolla un lenguaje artístico todavía más violento, como puede verse en *Cocina alpina* (Cat. n⁰ 616). La distorsión del espacio produce una impresión de movimiento agitado y sólo la vista alpina al fondo de la composición da un punto de calma a la escena.

Emil Nolde (1867-1956) se unió a *El Puente* en 1906, invitado por Schmidt-Rottluff, pero se separó del grupo ese mismo año para seguir su propio camino. *Nubes de verano* (Cat. n⁰ 691) es una marina tormentosa, en la que nubes y olas están tratadas como masas sólidas en movimiento. El estilo de Nolde, basado en el uso expre-

A.860. **Max Pechstein**
Mercado de caballos, 1910

Óleo sobre lienzo. 70 x 81 cm.

789. **Ernst Ludwig Kirchner**
Fränzi ante una silla tallada, 1910

Óleo sobre lienzo. 71 x 49,5 cm.

sivo del color, varió poco a lo largo de su carrera artística, como puede apreciarse en *Atardecer de otoño* (Cat. nº 690) de 1924 y *Girasoles* (Cat. nº 692) de 1936.

En 1913, *El Puente* comenzó a disgregarse. Un año antes se publicó en Munich el almanaque *El Jinete Azul (Der Blaue Reiter)* que dirigían Kandinsky y Marc. En torno a esta revista se congregó un grupo de artistas procedentes de diversos países (Kandinsky, Marc, Macke, Jawlensky, Feininger, Itten, V. Burliuk, Klee...) que mantuvo relaciones frecuentes con la vanguardia parisina. Influídos por la tradición del idealismo alemán, los artistas del grupo, especialmente Kandinsky, consideraban que la misión del arte moderno era liberarse de su dependencia respecto del mundo exterior para expresar el mundo del espíritu de un modo similar a como lo hacía la música.

De origen ruso, Wassily Kandinsky (1866-1944) se instaló en

692. **Emil Nolde**
Nubes de verano, 1913

Óleo sobre lienzo. 73,3 x 88,5 cm.

616. **Ernst Ludwig Kirchner**
Cocina alpina, 1918

Óleo sobre lienzo. 121,5 x 121,5 cm.

1896 en Munich, ciudad en la permaneció hasta su regreso a Rusia en 1914. Su descubrimiento de la pintura abstracta en 1910 ha hecho de él uno de los principales artistas del siglo. Las pinturas abstractas de Kandinsky se muestran en la Sala 45; las dos que se presentan aquí *Murnau. La salida de la Johannistrasse* (Cat. nº 611) y *Ludwigskirche en Munich* (Cat. A.852) son anteriores. Pertenecen a un período en que el artista experimenta tratando de conciliar el Postimpresionismo, el Fauvismo y el Expresionismo.

Pintura
expresionista

La otra gran figura de *El Jinete Azul* es Franz Marc (1880-1916). *El sueño* (Cat. nº 660) es un ejemplo del espiritualismo del grupo. Marc creó un mundo pictórico particular en el que los animales se presentaban como símbolos de belleza, pureza y verdad. Elaboró también una compleja teoría que atribuía valores simbólicos a los colores: el azul representaría el principio de lo masculino, lo austero y espiritual; a él se opondrían el amarillo, como principio femenino, alegre y sensual, y el rojo, símbolo de la materia bruta. La mezcla de estos colores produciría la compenetración de sus valores respectivos.

En la obra de juventud de Alexei von Jawlensky (1864-1941), pintor ruso que se estableció en París en 1905, se refleja la influencia de Matisse, con quien trabajó durante algún tiempo. En 1909 Jawlensky se adhirió en Munich a *El Jinete Azul*. Sus cuadros, *Niño con muñeca* (Cat. A.850) y *El velo rojo* (Cat. nº 603) muestran no sólo la influencia fauve sino también la de los iconos rusos, por la frontalidad y la quietud de los personajes retratados. August Macke (1887-1914), menos interesado que Kandinsky y Marc por la teoría, fue quizá el artista con más influencia parisina de todo el grupo de Munich. *Circo* (Cat. nº 656) fue una obra realizada poco después de su visita de 1912 a París, donde conoció a Delaunay. Lyonel Feininger (1871-1956) es otro de los pintores de *El Jinete Azul* influídos por Delaunay. El Museo posee varias obras suyas. *El hombre blanco* (Cat. A.840) recuerda su etapa como dibujante de caricaturas en París. En *Arquitectura (El hombre de Potin)* (Cat. nº 545) y *La dama de malva* (Cat. nº 543) la yuxtaposición de planos tiene afinidades con el Cubismo. Johannes Itten (1888-1967) es un expresionista suizo independiente que en los años 20 participó en el proyecto de la *Bauhaus*. *Grupo de casas en primavera* (Cat. nº 602), una obra estructurada por una combinación de círculos, triángulos y formas geométricas, es un ejemplo de la aplicación de los principios compositivos de la música a la pintura.

La figura de Max Beckman (1881-1950) ocupa un lugar singular en la historia del Arte del siglo XX. A partir de 1912 abandona el Expresionismo e inicia una trayectoria realista inspirada en la gran tradición germánica del gótico tardío y de Grünewald. Más tarde coincide con la *Nueva Objetividad* en la crítica a la sociedad alemana. A partir de entonces sus obras más importantes son composiciones alegóricas de una gran fuerza pictórica y expresiva. El Museo cuenta con cuatro obras que ilustran muy bien su evolu-

660. Franz Marc
El sueño, 1912

Óleo sobre lienzo. 100, 5 x 135, 5 cm.

A.852. Wassily Kandinsky
Ludwigskirche en Munich, 1908

Óleo sobre cartón. 67,3 x 96 cm.

ción. Su *Autorretrato* (Cat. nº 465) de 1908 está todavía próximo a la pintura del fin de siglo, como la de Corinth y Lieberman. *Quappi de rosa* (Cat. nº 464) retrata a su segunda mujer, Quappi (Mathilde von Kaulbach) a quien el artista pintó frecuentemente; aquí la presenta frontalmente, imbuida de la fuerza tranquila de su propia personalidad. *Bodegón con rosas amarillas* (Cat. nº 463) es un ejemplo del interés del pintor por los problemas del color. *Artistas* (Cat. A.831), una composición alegórica relacionada con los trípticos de los años 40, fue pintada en los Estados Unidos dos años antes de su muerte.

La última fase del Expresionismo alemán se conoce con el nombre de *Nueva Objetividad (Neue Sachlichkeit).* Este movimiento responde al clima de crisis que vivió el Berlín de la postguerra, escenario del hundimiento económico, político y moral de la Alemania de Bismarck. Los temas urbanos permiten a los artistas expresar una actitud política o socialmente crítica. Reaccionando contra el subjetivismo expresionista, se desarrolla un estilo objetivo de gran precisión y claridad. Cronológicamente la Nueva Objetividad coincide con un movimiento de vuelta a la figuración que se produce en el resto de Europa en los años 20 (vid. sala 45); como él, supone una revalorización de la pintura renacentista, en este caso la germánica.

El retrato fue un género muy común entre los pintores de la Nueva Objetividad. En la sala 40 se encuentran algunos buenos ejemplos. De Christian Schad (1894-1982), uno de los pintores más obsesivamente detallista del movimiento, son *Retrato del Dr. Haustein* (Cat. nº 733) de 1928 y *Maria y Annunziata del puerto* (Cat. nº 734) de 1923. Los de Rudolf Schlichter (1890-1955) *Periodista oriental* (Cat. nº 741), y Albert Henrich (1899-1971) *Retrato del pintor A.M. Tränkler* (Cat. nº 582) se encuentran más próximos al naturalismo expresivo del período anterior a la guerra. *Doble retrato de Hilde II* (Cat. nº 596) de Karl Hubbuch (1891-1980) es la mitad izquierda de un lienzo cuadrado que representaba cuatro aspectos diferentes de la modelo del pintor; el lienzo fue dividido por el mismo Hubbuch en la década de los cincuenta.

Los dos artistas más importante del movimiento fueron Otto Dix (1891-1969) y George Grosz (1893-1959). Grosz fue un pintor muy activo políticamente y un gran dibujante. El Museo tiene una de sus obras más emblemáticas, *Metrópolis* (Cat. nº 569), que representa un escenario urbano con una muchedumbre corriendo

464. Max Beckmann
Quappi de rosa, 1932-35

Óleo sobre lienzo. 105 x 73 cm.

en direcciones contrapuestas. En esta obra, construída como un inmenso collage, se ponen de manifiesto influencias cubistas y futuristas; pero en contraste con la glorificación futurista de la ciudad, la visión de Grosz tiene un marcado carácter apocalíptico.

Al comenzar la década de los años 20, Grosz y los artistas de la vanguardia berlinesa, endurecieron sus actitudes políticas. Esto supuso para muchos de ellos optar por un realismo satírico que pudiera ser comprendido por todo el mundo. El museo posee importantes obras sobre papel, así como un óleo, *Escena callejera*. *Kurfürstendamm* (Cat. nº 772), que ilustran este aspecto de la pintura de Grosz.

Dix alcanzó su madurez artística con una serie de retratos precisos, uno de cuyos mejores ejemplos es *Retrato de Hugo Erfurth con su perro* (Cat nº 525). El estilo de Dix se inspira en el de los

525. **Otto Dix**
Hugo Erfurth con un perro, 1926

Temple y óleo sobre tabla. 80 x 100 cm.

569. **George Grosz**
Metrópolis, 1916-17

Óleo sobre lienzo. 100 x 102 cm.

maestros renacentistas germánicos, no sólo formalmente sino también en cuanto a la técnica de temple sobre tabla.

La llegada de los nazis al poder en Alemania en 1933 supuso el final de la *Nueva Objetividad* y de todas las manifestaciones del arte moderno, al que se califica oficialmente como "arte degenerado". Muchas de las obras más representativas del Expresionismo alemán fueron destruidas y los artistas se vieron obligados a cesar en su actividad, o a exiliarse.

PLANTA BAJA

41-44 Las vanguardias experimentales

Los cambios que se produjeron en las artes visuales a comienzos del siglo XX fueron probablemente los mayores de su historia. Aunque el término "vanguardia" se usa a veces para designar genéricamente las innovaciones del arte moderno, es recomendable reservarlo para las que tuvieron lugar entre aproximadamente 1907 (inicio de la búsqueda que lleva al Cubismo) y 1924 (publicación del Primer Manifiesto Surrealista). Las características principales de las innovaciones de ese período son: 1) La voluntad de ruptura respecto del arte existente, incluyendo en primer lugar, para cada movimiento de vanguardia, los anteriores. 2) La convicción de que el arte depende, como el lenguaje, de un conjunto de reglas convencionales y de que las innovaciones artísticas más profundas consisten en la substitución de unas reglas por otras. 3) La fe en el progreso de la historia. 4) Como consecuencia de todo lo dicho, la predisposición a considerar la obra de arte como: a) ejemplo de un nuevo sistema de reglas que se propone polémicamente; b) acción anunciadora del futuro; c) experimento, al modo de los que jalonan el progreso científico.

El vanguardismo así definido fue una actitud dominante en el arte moderno durante el período de su afirmación frente al arte del pasado. Una vez asumida la sensibilidad moderna, el espíritu polémico que condicionaba la obra de arte sometiéndola a las reglas de la doctrina pierde peso en favor de su singularidad como obra individual. Algunos artistas, como Picasso, abandonaron el vanguardismo en fechas relativamente tempranas, hacia 1913 ó 1914; otros en fechas posteriores. En términos generales puede afirmarse que el vanguardismo comenzó a disociarse de la corriente central del arte moderno en los últimos años 20 para quedar marginado después de la II Guerra Mundial. A partir de finales de la década de los 60 renace, privado ya de mordiente polémico, para difundirse entre los medios académicos e institucionales.

Los movimientos vanguardistas más importantes del período anterior a la I Guerra Mundial son el Cubismo y el Futurismo.

El Cubismo nació de la colaboración de Pablo Ruíz Picasso (1881-1973) con Georges Braque (1882-1963) entre 1908 y 1914. Limitado inicialmente a la obra de estos dos pintores, se extendió entre los círculos artísticos parisinos a partir de 1910. Si los impresionistas, postimpresionistas y fauves se esforzaban por captar lo pasajero, las impresiones, y estados de ánimo, valiéndose pictóricamente de la luz y del color, Braque y Picasso, tomando a Cézanne

710. **Pablo Picasso**
Hombre con clarinete, 1911-12

Óleo sobre lienzo. 106 x 69 cm.

como punto de partida, se centraron en el volumen y el espacio. *Bodegón con vasos y frutas* (Cat. nº 708) y *El Parque de Carrières-Saint-Denis* (Cat. nº 479) pertenecen a la fase inicial. Si comparamos estas obras con *Mujer con mandolina* (Cat. nº478) y *Hombre con clarinete* (Cat. nº 710) podremos entender el proceso evolutivo que lleva el Cubismo a su culminación. El primer paso es una reducción de las formas de las cosas a volúmenes geométricamente simples. Viene luego una especie de aplanamiento de los volúmenes sobre el plano pictórico, como si se les viera simultáneamente desde dos puntos de vista, y una estructuración rítmica de ese plano. Para reforzar el efecto rítmico se multiplican los puntos de vista y los volúmenes se representan cada vez más incompletos y abiertos; esto hace que parezcan disolverse en el espacio que les rodea. Finalmente de las formas de las cosas quedan sólo trazos o signos esquemáticos distribuidos en una trama de pequeñas facetas. La vibración de la luz en esa trama evoca la profundidad del espacio.

Llegado a este punto, el Cubismo parecía apuntar hacia una pintura totalmente abstracta. Quizá el ejemplo más elocuente de esa transición es el de Piet Mondrian (1872-1944), como puede verse en *Composición en gris/azul* (Cat. nº 678). Braque y Picasso sin embargo eligieron otro camino. Para ellos la pintura abstracta, limitándose a expresar solamente estados de ánimo, obedecía a una sensibilidad decimonónica. Buscando una nueva plasticidad apropiada para el nuevo siglo, se esforzaron por reintroducir en la pintura la corporeidad física de las cosas. El primer paso consistió en modificar la trama mediante una composición centrípeta que permitía acentuar la presencia de los objetos. Luego se introdujeron color y textura. Finalmente se abandonó la trama para crear un nuevo espacio, construido a modo de *collage,* mediante la yuxtaposición de planos contrastantes. *Cabeza de hombre* (Cat. nº 707) de Picasso ilustra la pintura de esta fase, denominada Sintética, y que en realidad fue, para Braque y Picasso la transición del Cubismo a una actitud postvanguardista.

El Cubismo de Juan Gris (1887-1927) siguió un camino propio. Durante la segunda década mantuvo una estructura tramada derivada de la del Cubismo Analítico, pero en la que el color jugaba un papel fundamental, como puede verse en *El Fumador* (Cat. nº 567). *Mujer sentada* (Cat. A. 843) es una de las mejores obras de sus años de plenitud; las relaciones de luz y color, superponiéndose a una trama geométrica abstracta y a unos pocos signos esquemáticos,

A.843. Juan Gris
Mujer sentada, 1917

Óleo sobre tabla. 116 x 73 cm.

evocan la presencia de la figura femenina. *Botella y frutero* (Cat. nº 566) anuncia el estilo de los años 20.

El historiador Douglas Cooper incluyó a Léger junto a Gris, Braque y Picasso en lo que él llamaba, para distinguirlo del de los demás artistas, "Cubismo esencial". Sin embargo, la descomposición de las formas en su pintura debe más al estudio del movimiento de Delaunay y de los futuristas que al análisis de volúmenes de Braque y Picasso. *La escalera. (Segundo estado)* (Cat. nº 645) pertenece a un grupo de obras de los años 1913 y 1914, denominado "contrastes de formas", y con el que culmina el Cubismo de Léger.

634. **Frantisek Kupka**
Localización de móviles gráficos, 1912-13

Óleo sobre lienzo. 200 x 194 cm.

645. **Fernand Léger**
La escalera (Segundo estado), 1914

Óleo sobre lienzo. 88 x 124,5 cm.

El Futurismo fue un movimiento italiano de alcance predomi-
nantemente literario, fundado en 1909 por Filippo Maria Marinetti.
Su doctrina puede resumirse en la exaltación de la lucha, la veloci-
dad y el futuro. El *Manifiesto de la pintura futurista* se publicó en
1910; *Manifestación patriótica* (Cat. nº 459) de Giacomo Balla
(1871-1958), el artista más maduro entre sus firmantes, ilustra una
de las tendencias del Futurismo pictórico. Balla plasma el ondear
de las banderas y el movimiento de las masas de manifestantes como
una serie rítmica de volúmenes curvos superpuestos en los que
pueden percibirse los ecos del *Art Noveau*. La otra tendencia puede
ilustrarse con la obra de Gino Severini (1883-1966), un pintor que
residía en París desde 1896, y evolucionó desde el Neoimpresionismo al Cubismo en paralelo con los hermanos Duchamp, Delaunay
y Kupka. *Expansión de la luz* (Cat. nº 752), un espacio luminoso,
pintado con técnica puntillista, que se dilata con movimientos
rítmicos de danza, ilustra el aspecto más avanzado del Futurismo
antes de la guerra.

La mayoría de las innovaciones pictóricas de la segunda

década pueden entenderse como combinaciones de: a) el método cubista de descomposición de las formas; b) el método futurista de representación del movimiento; c) la búsqueda de un nuevo cromatismo derivado de Seurat. Las posibilidades que estas combinaciones abrían a la pintura pueden apreciarse en *La parisina* (Cat. nº 517) de Robert Delaunay y en *Constrastes simultáneos* (Cat. nº 518) de su mujer Sonia Terk. El poeta Guillaume Apollinaire acuñó el término de "Cubismo órfico" para la pintura de los Delaunay. Junto a ellos incluyó a los hermanos Duchamp y al pintor checo Frantisek Kupka (1871-1957). Tanto los Delaunay como Kupka experimentaron con la pintura abstracta en 1909-1910, al mismo tiempo que Kandinsky lo hacía en Munich. La coincidencia no es casual: se basa en la idea, muy extendida a finales del siglo XIX, de que hay analogías profundas entre las diversas formas de expresión artística y particularmente entre la pintura y la música. *Estudio para el lenguaje de las verticales* (Cat. nº 790), explota directamente, casi ingenuamente, esta analogía. La integración de Kupka en el grupo órfico enriqueció su pintura, como puede verse en *Localización de móviles gráficos* (Cat. nº 634), una obra maestra de su primer período.

Como una síntesis del Cubismo, Futurismo y Orfismo definió Mijail Larionov (1881-1964) el Rayonismo, movimiento que fundó en Moscú en 1913 junto con Natalia Gontcharova (1881-1962). *Calle con farolas* (Cat. nº 636) fue pintada antes de esta fecha, pero anuncia el nuevo estilo. El mejor ejemplo de su plenitud en el Museo es *Paisaje Rayonista* (Cat. nº 562) de Natalia Gontcharova.

En el contexto de la vanguardia rusa de la segunda década, nadie asimiló mejor el Cubismo que la pintora Liubov Popova (1889-1924). *Bodegón con instrumentos* (Cat. nº 715) es una obra clave para comprender su evolución hacia la abstracción bajo la influencia de Malevich. Las dos obras tituladas *Arquitectura pictórica* (Cat. nº 714 y nº 716) pertenecen a una serie realizada entre 1916 y 1918 que es ya totalmente abstracta.

La revolución rusa abrió un período propicio para las vanguardias artísticas. La ruptura con el pasado, la afirmación enfática del futuro y el espíritu experimental eran actitudes que predominaban ahora en todos los ámbitos de la vida social. Las tendencias principales del vanguardismo ruso revolucionario fueron el Suprematismo y el Constructivismo. El líder del Suprematismo fue Kasimir Malevich. Además de las *Arquitecturas pictóricas* de Popova, mencionadas más arriba, otros cuadros del Museo que pueden adscribirse

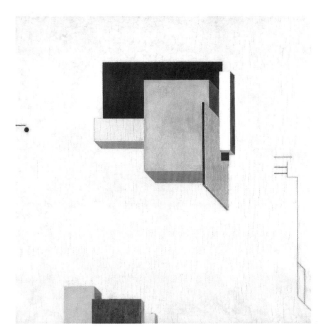

652. El Lissitzky
Proun 1 C, 1919

Óleo sobre tabla. 68 x 68 cm.

675. László Moholy-Nagy
Gran pintura del ferrocarril, 1920

Óleo sobre lienzo. 100 x 77 cm.

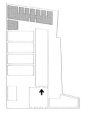

a esta tendencia son la *Composición* (Cat. nº 625) de Ivan Kliun (1873-1943), y la magnífica *Composición suprematista* (Cat. nº 506) de Ilya Chashnik (1902-1929), obra tardía que tiene afinidades estilísticas con el Constructivismo.

La idea central del Constructivismo, cuyo primer lider fue el escultor Tatlin, pero en cuyo desarrollo fue decisiva la contribución de algunos arquitectos como los hermanos Vesnin, es que la obra de arte no debe representar nada, ni siquiera imágenes abstractas, sino limitarse a poner de manifiesto las reglas que rigen su construcción en el espacio. Una de las consecuencias de esta doctrina es la disolución de las diferencias entre arquitectura, escultura y pintura. Las obras que El Lissitzky (1890-1941) denominó "Prouns" son un buen ejemplo de la transición del Suprematismo al Constructivismo. En *Proun 1C* (Cat. nº 652), uno de los más bellos del artista, la sutileza del color y la disposición central de las figuras recuerdan a Malevich. *Proun 4B* (Cat. nº 43) muestra ya el dinamismo espacial característico del Constructivismo.

Las relaciones entre vanguardias artísticas y políticas fueron enfriándose en los años 20 y terminaron a comienzos de la década siguiente con la desaparición del arte de vanguardia y la imposición del llamado "realismo socialista" por las autoridades del Estado soviético.

Entre 1922 y 1925 Lissitzky trabajó en Alemania y Suiza. Su estancia contribuyó al desarrollo de las vanguardias centroeuropeas. Los artistas más importantes con quien se vinculó entonces fueron László Moholy-Nagy (1895-1946), Kurt Schwitters (1887-1948) y Theo van Doesburg (1883-1931). *Gran pintura del ferrocarril* (Cat. nº 675) es una obra clave del primer período de Moholy-Nagy. Tras el encuentro con Lissitzky el artista tuvo ocasión de desarrollar su propia versión del Constructivismo al incorporarse en 1923 a la Bauhaus, una escuela de arte, arquitectura y diseño creada con el propósito de integrar esas diferentes disciplinas. El nombre de Kurt Schwitters (1887-1948) se asocia generalmente al Dadaismo, un movimiento que surgió durante los años de la guerra. Aunque muy activo, el movimiento dadaista no aspiraba a la coherencia y Schwitters fue quizá el más independiente entre sus miembros. A partir de 1919 su actividad se canalizó hacia las técnicas del *collage* y del *assemblage*. *Merzbild 1A* (Cat. nº 746) es uno de los primeros *assemblages;* aunque hay en él rasgos que recuerdan el Expresionismo, los elementos ensamblados funcionan sobre todo por sus

746. Kurt Schwitters
Merzbild 1A (El psiquiatra), 1919

Técnica mixta y montaje sobre lienzo. 48,5 x 38,5 cm

cualidades visuales y táctiles. Es ésta la base sobre la que Schwitters evolucionó durante los años 20 aproximándose al Constructivismo, como puede verse en la magnífica *Composición de ocho lados* (Cat. nº 745).

El grupo *De Stijl,* fundado en 1917, al que pertenecía Theo van Doesburg, fue el principal exponente del vanguardismo experimental europeo durante el período de entreguerras. Propugnaba una reducción del lenguaje de las artes visuales a sus elementos básicos: los colores primarios y las líneas horizontales y verticales. *Composición* (Cat. nº 526) de Van Doesberg, es un importante ejemplo de la aplicación de estas reglas durante el período en que el autor estaba más próximo a Mondrian, el guía e inspirador inicial del grupo. El extremo rigor pero también el enorme poder de atracción visual de su pintura han hecho de Piet Mondrian (1872-1944) uno de los grandes mitos del siglo. Además de la composición cubista mencionada más arriba, obra de transición, el Museo presenta otros dos cuadros suyos: *Composición I* (Cat. nº 677) es un ejemplo clásico de la claridad, simplicidad y monumentalidad de su período de madurez, y *New York City* (Cat. nº 679), un maravilloso cántico a la vida moderna, iniciado en plena guerra, que quedó inacabado por la muerte del artista.

Quizá no sea exagerado atribuir una parte de la afinidad subterránea que une la obra de Mondrian con la corriente central de la historia de la pintura a su asociación durante 1916-1918 con Bart van der Leck (1876-1958), un pintor de Utrecht que, tras haber sido miembro fundador de *De Stijl,* se separó del grupo en la temprana fecha de 1918. Pocos historiadores pondrían a Van der Leck en la lista de los principales artistas del siglo; pero *Composición. Montañas con un pueblo de Argelia* (Cat. nº 642) es uno de los cuadros más bellos del Museo.

679. **Piet Mondrian**
New York City, New York, c. 1942

Óleo, lápiz, carboncillo y cinta sobre lienzo. 117 x 110 cm.

45-46 La síntesis de la modernidad en Europa y EE.UU.

En 1932 el historiador Henry Russel Hitchcock y el arquitecto Philip Johnson organizaron una exposición de arquitectura en el Museo de Arte Moderno de Nueva York (MoMA) por iniciativa de su director, Alfred H. Barr. Pese a que lo expuesto procedía de diferentes grupos de vanguardia los autores identificaron un estilo común para la arquitectura moderna; lo denominaron "Estilo Internacional". En el caso de la pintura y de la escultura, en cambio, Barr no planteó la búsqueda de un estilo común; lo que hizo fue organizar dos exposiciones que trazaban, como en un mapa, los caminos principales de evolución del arte moderno: 1) Del Cubismo a la Abstracción, y 2) Arte Fantástico, Dada y Surrealismo. En los años 30 se dieron varias iniciativas que, como la de Barr, suponían una visión sintética del arte moderno. Fueron la base de algo que vino después de la II Guerra Mundial; la creación de revistas especializadas, la organización de grandes exposiciones colectivas, la apertura de museos especializados y la entrada en las Universidades y Escuelas de Bellas Artes: jalones de un proceso que había de llevar al arte moderno a una posición de hegemonía, que culmina en torno a 1960.

A esos indicios externos de un proceso de convergencia y síntesis corresponden otros internos, inherentes a la conciencia de la creación artística. Se pueden encontrar algunos ya en los años 20. Un ejemplo significativo es el llamado "Cubismo sintético", una etiqueta estilística usada a partir de la I Guerra Mundial. En contraste con el Analítico, el Cubismo sintético no suponía un nuevo conjunto de reglas; fue una manera de pintar que se difundió por imitación, analogía o metamorfosis. Esa ausencia de reglas y la capacidad de adaptarse a diferentes corrientes de gusto fueron precisamente las cualidades que permitieron que durara y se convirtiera en uno de los lenguajes plásticos más influyentes del arte moderno.

Prácticamente toda la pintura que Georges Braque (1882-1963) hizo a partir de su regreso de la guerra en 1917 podría describirse como Cubismo sintético. El espacio pictórico de *El mantel rosa* (Cat. nº 480) sigue siendo cubista en el sentido en que lo eran los *collages* del artista de 1913 y 1914. Al mismo tiempo, las formas biomórficas, la composición monumental, las texturas terrosas y la paleta sorda apuntan a lo que será una importante corriente del gusto de los años 40.

Composición. El disco (Cat. nº 643) forma parte de un grupo

709. **Pablo Picasso**
Arlequín con espejo, 1923

Óleo sobre lienzo. 100 x 81 cm.

La síntesis de la modernidad en Europa y EE.UU.

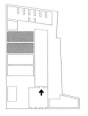

de obras que Fernand Léger (1881-1955) pintó al volver de la guerra evocando la agitación mecánica de la vida urbana. Podría describirse como una adaptación de la pintura órfica de preguerra a la nueva trama espacial del Cubismo sintético. En *El Puente* (Cat. A.855), pintado cinco años más tarde, encontramos la misma trama espacial, pero el cuadro evoca un mundo luminoso y estático. La diferencia se debe también a un cambio de gusto; Léger se ha integrado en las filas de aquellos que buscaban un nuevo orden, y que para ello, como decía el poeta André Salmon en 1920, abandonaban a Cézanne para seguir a Seurat.

También Picasso, en cierto modo, se encuentra entre ellos. El deseo de calma y orden se suele asociar con la figuración clasicista que aparece en su obra a lo largo de esos años. Sin embargo, aunque a veces coincidan, clasicismo y retorno al orden no se identifican necesariamente: *Los tres músicos,* de 1921, del MoMA, el ejemplo más célebre de su Cubismo sintético, refleja el retorno al orden en no menor medida que *La flauta de Pan,* un cuadro clasicista de 1923. Por otra parte, aunque *Arlequín con espejo* (Cat. nº 709) sea también un cuadro clasicista del mismo año, su inspiración es totalmente distinta. Sólo el rostro muestra algún parecido con los bañistas de *La flauta de Pan.* En realidad es una máscara. Arlequín es en ese tiempo una figura del propio Picasso, una evocación de su estancia en Italia y del encuentro con Olga, que iba a ser su mujer. La figura mirándose al espejo es, como en la pintura barroca, una metáfora del paso del tiempo. Estilísticamente el cuadro parece un ensamblaje de retazos pintados por manos diferentes. Las telas blancas resultan inverosímilmente corpóreas y los empastes de color dan al tronco una carnosidad desordenada. Todo respira un aire de ácida melancolía.

André Breton, había publicado ese mismo año un artículo en el que atacaba el Cubismo, pero "saludaba en la obra de Picasso la primera manifestación en el arte moderno de una cierta vertiente de *ilegalidad"*. Este rechazo de normas y códigos tendrá un doble efecto en el desarrollo del Surrealismo: garantizará su influencia a lo largo del proceso de afirmación del arte moderno, y al mismo tiempo propiciará la ambigüedad en cuanto a su afiliación. Algunos artistas importantes ajenos al movimiento, como Picasso, podían ser reivindicados como propios; otros generalmente considerados surrealistas, como Ernst y Miró podían mantenerse alejados durante largos períodos y evolucionar por su cuenta.

672. Joan Miró
Campesino catalán con guitarra, c. 1924

Óleo sobre lienzo. 148 x 114 cm.

La síntesis de la modernidad en Europa y EE.UU.

De Max Ernst (1891-1976) podría decirse que interiorizó la pluralidad surrealista de lenguajes pictóricos. El Museo presenta tres obras suyas totalmente distintas entre sí. *Sin título* (Cat. nº 538), y *33 muchachas en busca de una mariposa blanca* (Cat. nº 537) se exponen en la sala 45. *Arbol solitario y árboles conyugales* (Cat. nº 535), se expone en la sala 47.

El automatismo psíquico es un principio fundamental del Surrealismo que requiere la eliminación del control racional sobre la creación. En el campo de la poesía supone una escritura basada en asociaciones espontáneas de palabras. En el de la pintura serían imágenes visuales las que se asociarían espontáneamente, como en los sueños. Hay dos posibles maneras de hacerlo: representar las imágenes con una técnica convencional, por así decirlo "fotográfica", como Dalí, o hacerlo con una técnica pictórica "automática", confiada ella misma a la espontaneidad. Joan Miró (1893-1983) fue el representante principal de esta segunda manera. *Campesino catalán con guitarra* (Cat. nº 764), ilustra el momento más radical del artista. *Composición* (Cat. A.886) pertenece a un grupo de paisajes imaginarios de 1926 y 1927. *El pájaro relámpago cegado por el fuego de la luna* es una bella miniatura cuyo lenguaje pictórico deriva de la famosa serie de *Las Constelaciones*.

En la exposición del MoMA mencionada más arriba Barr presentaba el Dadaismo y el Surrealismo como continuación de una tradición de lo fantástico con raices en la Edad Media, y a Klee, Kandinsky y Chagall como continuadores de esa misma tradición en el siglo XX. Nacido en Rusia, Marc Chagall (1887-1985) se instaló en París en 1910 y entró en contacto con Léger y el grupo orfista. En *La casa gris* (Cat. nº 500), obra pintada poco después de su regreso a Rusia en 1914, es todavía visible la influencia de las vanguardias parisinas. *El gallo* (Cat. nº 499) y *La Virgen de la aldea* (Cat. nº 497) son ejemplos característicos del estilo que desarrolló tras su vuelta a Francia, para quedarse definitivamente, en 1922; una pintura basada en la cultura popular judía de la Rusia de su infancia.

Wassily Kandinsky (1866-1944) y Paul Klee (1879-1940) participaron en Munich en *El Jinete Azul* (vid. sala 38). Tras un proceso de trasposiciones pictóricas que tenía como punto de partida el paisajismo expresionista, Kandinsky llegó en torno a 1910-1911 a lo que denominó pintura abstracta. El artista buscaba en el color puro, desprovisto de referencias figurativas, ese poder de desencadenar un torrente de imágenes y sentimientos que se suele atribuir

609. **Wassily Kandinsky**
Pintura con tres manchas nº 196, 1914

Óleo sobre lienzo. 121 x 111 cm.

a la música. El efecto puede verse en *Pintura con tres manchas* (Cat. nº 609). Pese a sus coincidencias biográficas, Kandinsky y Klee representan dos temperamentos artísticos contrastantes. La analogía musical es importante para ambos, pero de modos muy distintos; Klee busca en la música no tanto un torrente de sensaciones como lo que tiene de arte combinatoria o juego. *Casa giratoria* (Cat. nº 624) es como una lección de geometría descriptiva que terminara en éxtasis. *Omega 5* (Cat. nº 625) se adscribe a la tradición gótica

La síntesis de la modernidad
en Europa y EE.UU.

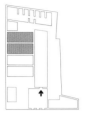

de lo grotesco, que para Klee juega un papel parecido al que juega para Picasso la del clasicismo mediterráneo.

Ni Klee ni Kandinsky vivieron el fin de la guerra. Entre las consecuencias que ésta tuvo para la historia del arte se pueden mencionar dos que quizá les hubieran sorprendido: el arte moderno quedó en el lado de los vencedores y Nueva York se convirtió en escenario privilegiado de innovaciones artísticas. La más importante de las nuevas tendencias fue la que se denominó en Europa Informalismo y en Estados Unidos Expresionismo Abstracto. Para este último movimiento se suelen señalar dos precedentes: el espacio cubista y el automatismo surrealista. El primero era bien conocido en Estados Unidos durante los años 30. El menor conocimiento que se tenía del segundo quedó compensado por la emigración de una gran parte del grupo surrealista de París a Nueva York en 1939 al comenzar la guerra. Arshile Gorky (1905-1948), un pintor que durante los años 30 había estudiado cuidadosamente a Picasso, fue

563. **Arshile Gorky**
Abrazo, 1945

Óleo sobre lienzo. 64,7 x 82,7 cm.

713. **Jackson Pollock**
Marrón y plata I, c. 1951

Esmalte y pintura plateada sobre lienzo. 145 x 101 cm.

La síntesis de la modernidad
en Europa y EE.UU.

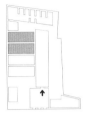

uno de los primeros artistas norteamericanos en adoptar el automatismo surrealista. En *Abrazo* (Cat. nº 563) puede apreciarse una estructura espacial derivada de la trama cubista a la que se superpone un color que revela la influencia de Miró. *Ultimo cuadro* (Cat. nº 564) desvela un tercer factor: la tradición expresionista alemana. Su influencia se aprecia mejor en Willem de Kooning (1904). En *Abstracción* (Cat. nº 630), una importante obra temprana suya, un furioso viento de color desgarra el andamiaje del espacio postcubista. *Hombre rojo con bigote* (Cat. nº 631) tiene una paleta casi idéntica a la que usaban los artistas de *El Puente* en 1907. El espacio cubista ha desaparecido, queda sólo un espacio no figurativo, puramente óptico, que se materializa en el juego libre de la pincelada sobre el lienzo.

Ese nuevo tipo de espacio es seguramente la invención más importante de la pintura de postguerra. *Marrón y plata I* (Cat. nº 713) de Jackson Pollock (1912-1956) es un ejemplo clásico del método que permitió su descubrimiento: llevar el automatismo surrealista a sus últimas consecuencias, al gesto mismo con que se aplica el color sobre el lienzo. Pero al mismo efecto se podía llegar también por otros medios. *Verde sobre morado* (Cat. nº 729) de Mark Rothko (1903-1970) y *Ritmos terrestres* (Cat. nº 771) de Mark Tobey (1890-1976) tienen también ese espacio no representativo que hemos visto en Pollock. Aunque estas dos obras están pintadas de modo muy distinto, una con superposición de amplias veladuras transparentes, la otra por acumulación de sucesivas escrituras del pincel, la vibración pulsátil de su espacio pictórico depende en ambas del color.

También los artistas europeos, y en primer lugar Lucio Fontana (1899-1968), llegaron a un tipo de espacio parecido. Si nos preguntamos por su naturaleza, viene a cuento recordar los precedentes que había sugerido Rosenblum (vid. sala 31): el espacio luminoso, absoluto, en el que flotan las figuras de Malevich y Kliun (vid. sala 43), y en último término el que recorta los horizontes de Friedrich. La obra de Fontana *Venecia era toda de oro,* (Cat. nº 547), que se expone en el Patio Central, podría sugerir, quizá, orígenes más antiguos.

729. Mark Rothko
Verde sobre morado, 1961

Técnica mixta sobre lienzo. 258 x 229 cm.

47-48 Surrealismo, tradición figurativa y Pop Art

El proceso de síntesis descrito en el capítulo anterior concluye a comienzos de los años 60 con una inflexión histórica que coincide con la aceptación generalizada del arte moderno. Aunque el período siguiente está todavía muy cerca de nosotros, puede afirmarse que la tendencia que emergió entonces con carácter dominante fue el Pop Art. El Museo posee un conjunto de alta calidad de obras representativas de esta tendencia. Junto a ellas se reunen otras que son ejemplo de lenguajes pictóricos minoritarios o marginales respecto de la corriente central del arte moderno.

El más importante de estos lenguajes marginales concierne al Surrealismo. Al referirnos a este movimiento en el capítulo anterior hemos hablado de la representación de asociaciones espontáneas de imágenes, como las de los sueños, por medio de un lenguaje pictórico convencional. El artista que mejor representa esta concepción del Surrealismo es Salvador Dalí (1904-1989). En *Sueño causado por el vuelo de una abeja alrededor de una granada un segundo antes del despertar* (Cat.nº 510) aparece la mujer del artista, Gala, durmiendo desnuda en el centro de un paisaje fantástico lleno de símbolos oníricos. En contraste con la pintura daliniana, la de Ives Tanguy (1900-1955) representa un universo desolado, con seres y objetos no identificables. René Magritte (1898-1967) fue miembro fundador del grupo surrealista belga. Aunque su técnica pictórica era también convencional, Magritte no estaba interesado en el subconsciente; sus asociaciones de imágenes desvelan paradojas conceptuales. *La llave de los campos,* (Cat.nº 657) representa una ventana que da a un paisaje campestre. El cristal está roto y en los fragmentos caídos se ve el mismo paisaje como imagen pintada; no sabemos si la ventana es transparente u opaca, real o ficticia.

La pintura figurativa, una manera minoritaria de expresar la sensibilidad moderna, se ha manifestado a lo largo del siglo XX por medio de escuelas distintas entre sí. Una de las más destacadas en la pintura norteamericana fue el Precisionismo, que se desarrolló en los años 30 y que tenía algunos rasgos en común con la Nueva Objetividad alemana. De Charles Sheeler (1883-1965), el más conocido pintor precisionista, es *Cañones* (Cat.nº 757), una representación impersonal de rascacielos y bloques de oficinas que podrían encontrarse en el centro de cualquier ciudad norteamericana. *Autopista sobre el mar* (Cat.nº A.837) de Ralston Crawford (1906-1978) parece anticiparse en un cuarto de siglo a ciertas corrientes de la pintura Pop.

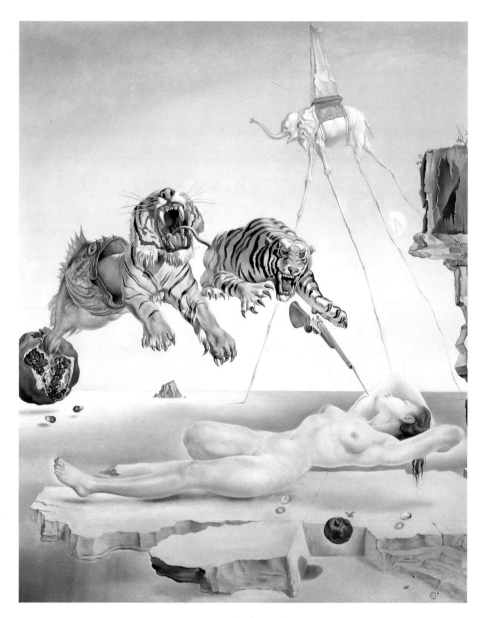

510. **Salvador Dalí**
Sueño causado por el vuelo de una abeja alrededor de
una granada un segundo antes del despertar, 1944

Óleo sobre madera. 51 x 41 cm.

Surrealismo, tradición figurativa y Pop Art

Ben Shahn (1898-1969) es el representante más destacado del Realismo Social, un movimiento que surge tras la crisis de 1929 en respuesta a la depresión económica. Como otros artistas políticamente comprometidos de su tiempo, Shahn trabajó frecuentemente como ilustrador y este hecho dejó una marca permanente en su pintura. *Orquesta de cuatro instrumentos* (Cat.nº 754) nos presenta un momento de ocio de tres personajes, dos de ellos vestidos como obreros. En *Parque de Atracciones* (Cat.nº 756) un hombre duerme en un parque público ajeno a la felicidad de las parejas que pasean a su alrededor.

Edward Hopper (1882-1967), es quizá el pintor realista más importante del S. XX. En su obra incorpora rasgos estilísticos propios de la pintura histórica europea, desde Piero della Francesca hasta Vermeer de Delft. *Muchacha cosiendo a máquina* (Cat.nº 595) pertenece a una serie de cuadros dedicados a mujeres trabajando en interiores domésticos. En *Habitación de hotel* (Cat.nº 594) la escena está dominada por la figura de la muchacha, sentada en la cama y leyendo un horario de trenes. La dura luz eléctrica de la habitación hace más negra la noche que se ve a través de la ventana.

Balthus (1908) es uno de los más conocidos artistas figurativos europeos. Su pintura se sitúa al margen de la modernidad e intenta recoger la atmósfera metafísica del arte del Quattrocento. *La partida de naipes* (Cat.nº 460) es un ejemplo significativo de la búsqueda de monumentalidad y de la atmósfera implícitamente erótica que caracterizan su estilo.

La Escuela de Londres, que agrupa a pintores como Michael Andrews (1928), Leon Kossoff (1926), Frank Auerbach (1931) y Lucien Freud (1922), es quizá el grupo más consistente de la pintura figurativa posterior a la II Guerra Mundial. Estilísticamente diferentes entre sí, estos artistas comparten el interés por la figura humana y por los paisajes urbanos. Comparten también un cierto aire expresionista que raramente se hace explícito. El mejor representado en el Museo es Freud, cuya pintura explota las deformaciones que resultan de adoptar encuadres inusuales. *Reflejo con dos niños* (Cat.nº 550) de 1965 y *Gran interior. Paddington* (Cat.nº 549) ilustran perfectamente estas características. *Retrato del Barón H.H. Thyssen-Bornemisza* (Cat.nº 551), tiene como fondo el cuadro de Watteau, *Pierrot alegre,* que pertenece también a la Colección (vid. sala 28).

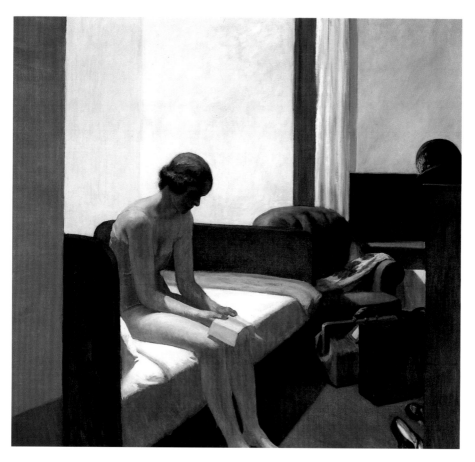

594. **Edward Hopper**
Habitación de hotel, 1931

Óleo sobre lienzo, 152,4 x 165,7 cm.

Surrealismo, tradición figurativa y Pop Art

Francis Bacon (1909-1992) es un pintor próximo a los de la Escuela de Londres, aunque es más conocido y mayor en edad que ellos. Su estilo, relacionable con la tradición surrealista y expresionista, se aleja de la figuración tradicional. Los cuadros de Bacon muestran frecuentemente habitaciones desnudas con figuras aisladas y distorsionadas expresivamente. *Retrato de George Dyer en un espejo* (Cat.nº 458) es el retrato de un amigo que fue también su modelo habitual en los años 60.

La última sala del museo, acoge un grupo de obras que se pueden adscribir al Pop Art. Este término lo utilizó por vez primera el crítico Lawrence Alloway para denominar un movimiento artístico que surgió en Inglaterra a finales de los años 50. Su punto de partida era la conciencia de la modernización tecnológica y de sus consecuencias culturales, especialmente en el ámbito de la comunicación. El lenguaje del Pop Art se caracteriza por la presencia de imágenes extraídas de la publicidad, los *comics* y los medios de comunicación de masas. Sin embargo, la inflexión que el Pop Art

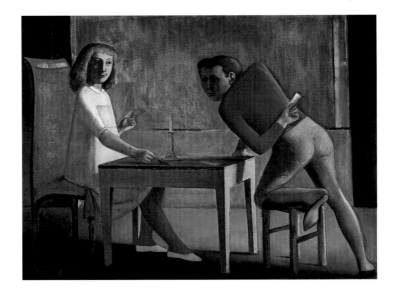

460. **Balthus**
La partida de naipes, 1948-50

Óleo sobre lienzo. 140 x 194 cm.

458. Francis Bacon
Retrato de George Dyer en un espejo, 1968

Oleo sobre lienzo. 198 x 147 cm.

trajo consigo iba más allá de la iconografía y equivalía a un replanteamiento profundo del proyecto de la modernidad, comparable al del primer Barroco respecto del arte renacentista y manierista (vid. sala 12). Así, en contraste con los rasgos que caracterizan el arte moderno en el período de su madurez, el Pop Art: 1) Es extrovertido y aspira a que la obra de arte sea objetiva e impersonal. 2) Privilegia las asociaciones simbólicas, alegóricas o literarias en la pintura. 3) Aprovecha materiales visuales y culturales preexistentes.

La trayectoria del pintor Robert Rauschenberg (1925) puede ilustrar ese cambio de dirección. Vinculado en su juventud al Expresionismo Abstracto, Rauschenberg se mantuvo a lo largo de su vida artística fiel a ciertos principios de la modernidad tradicional, como el automatismo psíquico. *Express* (Cat.nº 721) pertenece a un grupo de cuadros en los que se aprecian, por primera vez en la obra del artista, los rasgos enumerados más arriba, especialmente el último.

Entre los precedentes estilísticos del Pop Art podría citarse la asociación libre de materiales que habían practicado los dadaistas, sobre todo Schwitters (vid. sala 43). Esta tradición dadaista se mantuvo viva en Estados Unidos durante los años 40 y 50 en el trabajo de artistas como Joseph Cornell (1903-1972). A finales de los 50 la crítica de arte hablaba de una tendencia neodadaista en la que se incluía a Rauschenberg. Sin embargo el Dadaismo histórico respondía a una actitud esencialmente introspectiva: el artista se preguntaba por la naturaleza del arte moderno; al artista pop, en cambio, el arte moderne le viene ya dado, aquello por lo que se pregunta es la naturaleza del tiempo en que vive. Así en el Pop Art podría identificarse un cierto futurismo ideológico, una tradición que a lo largo del siglo XX se ha manifestado por la exaltación de lo que la vida moderna tiene de mecánico e impersonal. La pintura tardía de Léger y la de Stuart Davis (1894-1964) en Estados Unidos podrían citarse como ejemplos. Las dos obras de este último artista que se incluyen en la sala 48 y en especial la más trdía, *Pochade* (Cat.nº 514), permiten verificar visualmente la plausibilidad de estas hipótesis. Si Stuart Davis es ejemplo de una trayectoria que, arrancando de la síntesis de la modernidad, apunta hacia la sensibilidad Pop, Richard Lindner (1901-1978) ilustra otra diferente. Alemán de nacimiento y artista gráfico de oficio, Lindner vivió de cerca las últimas fases del Expresionismo y de la Nueva Objetividad en los

721. **Robert Rauschenberg**
Express, 1963
Oleo sobre lienzo con serigrafía, 183 x 305 cm.

años 30. Esta experiencia y la influencia de Léger contribuyeron a modelar su visión personal de la cultura norteamericana.

Junto a la diversidad de los caminos de llegada al Pop Art podría mencionarse la de los de salida. Ronald B. Kitaj (1932) y David Hockney (1937) formaron parte del grupo londinense en el que se generó la denominación *"Pop Art".* Sin embargo los dos evitaron usar la iconografía característica de la primera fase del movimiento y evolucionaron hacia una pintura figurativa de carácter narrativo y, sobre todo en el caso de Kitaj, fuertemente literario.

De todos modos, pese a su dispersión estilística, es indudable que el Pop Art evocará siempre en primer lugar la iconografía extraída de los medios de comunicación de masas, y es indudable también que a esta asociación histórica contribuyó decisivamente el impacto internacional de una serie de cuadros realizados por Roy Lichtenstein (1923) a partir de 1962. En unas declaraciones que hizo

Surrealismo, tradición figurativa y Pop Art

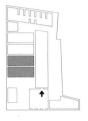

en 1963 el artista decía que al pintar viñetas de *comics* lo único que le interesaba era, como a Ingres cuando pintaba sus retratos, el dibujo y el color. *Mujer en el baño* (Cat.nº 648) es uno de los cuadros más bellos de este período clásico de Lichtenstein. El hecho de que podamos admirar su belleza en términos de dibujo y color (como en el caso de Mondrian, Léger, Picasso o Matisse) revela una paradoja. Reconocemos una obra maestra por su impacto histórico, por su capacidad de imprimir en el arte de su tiempo una dirección nueva y distinta de la que se manifiesta en las obras maestras del pasado. Al mismo tiempo la reconocemos como obra maestra posque nos incita a que la admiremos, junto a ellas, fuera del tiempo. La convicción de que estas dos maneras, aparentemente contradictorias, de juzgar una obra de arte son el fondo la misma cosa es la clave de la experiencia estética y la razón de ser de los museos y de la historia del arte.

514. **Stuart Davis**
Pochade, 1958

Oleo sobre lienzo, 130 x 152 cm.

648. **Roy Lichtenstein**
Mujer en el baño, 1963

Oleo sobre lienzo, 171 x 171 cm.

RELACIÓN DE OBRAS

PRIMITIVOS ITALIANOS

SALA 1

424.a-c. ANÓNIMO VENECIANO hacia 1300-1310. *Tríptico de la Virgen con el Niño.* Temple sobre tabla, panel central: 80 x 102 cm; alas: 76,8 x 25,5 cm.

257. ANÓNIMO VENECIANO hacia 1360. *Virgen de la Humildad con Ángeles y un Donante.* Temple sobre tabla, 68,8 x 56,7 cm.

70. BULGARINO, Bartolomeo. *La Virgen y el Niño entronizados entre cuatro ángeles, una mártir y San Juan Bautista,* c. 1340-1345. Temple sobre tabla, 48 x 26 cm.

123. DADDI, Bernardo. *La Crucifixión,* c. 1330-1335. Temple sobre tabla, 37,4 x 22,2 cm.

133. DUCCIO DI BUONINSEGNA. *Cristo y la Samaritana,* 1310-1311. Temple y oro sobre tabla, 43,5 x 46 cm.

151. GADDI, Agnolo. *La Crucifixión,* c. 1390. Temple sobre tabla, 32,5 x 30,3 cm.

161. GIOVANNI DI PAOLO. *La Virgen de la Humildad,* c. 1440. Temple sobre tabla, 32,5 x 22,5 cm.

162. GIOVANNI DI PAOLO. *Santa Catalina ante el Papa en Aviñón,* c. 1460. Temple sobre tabla, 29 x 29 cm.

228.a-c. LORENZO VENEZIANO. *Tríptico portátil de la Crucifixión,* c. 1370-1375. Temple sobre tabla, panel central: 83,6 x 30,7 cm; alas: 83 x 15 cm.

231. LUCA DI TOMMÈ. *La Adoración de los Magos,* c. 1360-1365. Temple sobre tabla, 41 x 42 cm.

247. MAESTRO DE 1355. *La Coronación de la Virgen con cinco Ángeles,* 1355. Temple y oro sobre tabla, 86 x 52,5 cm.

256. MAESTRO DE LA MAGDALENA. *La Virgen y el Niño en el trono con Santo Domingo, San Martín y dos ángeles,* c. 1290. Temple sobre tabla, 177 x 86,5 cm.

260. MAESTRO DE LA SALA CAPITULAR DE POMPOSA. *La Crucifixión,* c. 1320. Temple sobre tabla, 29 x 20,5 cm.

412. UGOLINO DI NERIO. *La Crucifixión con la Virgen San Juan y Ángeles,* c. 1330-1335. Temple sobre tabla, 134 x 90 cm.

425. VITALE DE BOLONIA. *La Crucifixión,* c. 1335. Temple sobre tabla, 93 x 51,2 cm.

ESCULTURAS

S44. *La Virgen con el Niño,* c. 1250. Álamo policromado. Altura: 115,5 cm. Umbria (?)

S52. *Nuestra Señora de La Anunciación,* 1360-1380. Madera pintada y dorada. Altura: 68,8 cm. Siena

MUEBLES

M17. BENEDETTO DI BINDO y tondos de TADDELO DI BARTOLO. *Cassone sienés,* 1411-1412. Madera dorada y pintada. Altura: 66 cm. Siena.

ARTE MEDIEVAL

SALA 2

272. ANÓNIMO ALEMÁN activo en Westfalia. *La Virgen y el Niño en el "hortus conclusus",* c. 1410. Tabla, 28,6 x 18,5 cm.

273. ANÓNIMO ALEMÁN activo en Westfalia. *Cristo en la Cruz "Redentor del mundo",* c. 1410. Tabla, 28,5 x 18,5 cm.

245.a-c. ANÓNIMO ALEMÁN activo en Colonia. *Tríptico de la Anunciación.* Técnica mixta sobre tabla, panel central: 34,3 x 16,5 cm; alas: 34,3 x 8,5 cm.

268.a. ANÓNIMO ALEMÁN hacia 1420. *El Descendimiento.* Óleo sobre tabla, 62 x 30 cm.

44.a-e. BERTRAM, Maestro. *Tríptico de la Santa Faz,* 1395-1410. Óleo sobre tabla, panel central: 30,8 x 24,2 cm.; alas: 30,8 x 12 cm.

199. HUGUET, Jaume (círculo de). *Misa de peregrinos.* Temple y oro sobre tabla, 83 x 72 cm.

210. KOERBECKE, Johann. *La Asunción de la Virgen,* poco antes de 1457. Óleo sobre tabla, 93,1 x 64,2 cm.

233. MAELESSKIRCHER, Gabriel. *El Evangelista San Lucas,* 1478. Óleo sobre tabla, 77 x 32,2 cm.

234. MAELESSKIRCHER, Gabriel. *El Evangelista San Mateo,* 1478. Óleo sobre tabla, 77,4 x 32,2 cm.

235. MAELESSKIRCHER, Gabriel. *El Evangelista San Juan,* 1478. Óleo sobre tabla, 77,2 x 32 cm.

236. MAELESSKIRCHER Gabriel. *El Evangelista San Marcos,* 1478. Óleo sobre tabla, 77,1 x 32,2 cm.

237. MAELESSKIRCHER, Gabriel. *San Lucas pintando a la Virgen,* 1478. Óleo sobre tabla, 77 x 32 cm.

238. MAELESSKIRCHER, Gabriel. *Milagro de San Mateo amansando al dragón,* 1478. Óleo sobre tabla, 77,2 x 32,2 cm.

239. MAELESSKIRCHER, Gabriel. *El milagro de las Hostias en la tumba de San Juan,* 1478. Óleo sobre tabla, 77 x 32 cm.

240. MAELESSKIRCHER, Gabriel. *El Martirio de San Marcos,* 1478. Óleo sobre tabla, 77,2 x 32,2 cm.

246. MAESTRO DE LA VISION DE SAN JUAN. *Los Santos Médicos Cósme, Damián y Pantaleón,* c. 1455. Óleo sobre tabla, 130,5 x 72,2 cm.

282. MATES, Joan. *Los Santos Juanes con un donante,* c. 1410. Óleo sobre tabla, 191 x 121 cm.

Vitrina nº1
Marfiles

E3. *El Bautismo de Cristo,* c. 1110. Marfil. Altura: 15,9 cm. Campaña

E4. *La Virgen y el Niño,* c. 1320-1330. Marfil. Altura: 23,3 cm. París

E5. *Tríptico con escenas de la Pasión de Cristo,* c. 1330. Marfil. Altura: 24,6 cm. París

E6. *Díptico con escenas de la vida de la Virgen,* c. 1350. Marfil. Altura: 17,8 cm. París

E7. *Díptico con la Crucifixión y la Coronación de la Virgen,* 1350-1400. Marfil. Altura: 11,5 cm. París

E8. *Díptico con escenas de la vida de Cristo,* 1350-1400. Marfil. Altura: 16,6 cm. Colonia (?)

E9.1-7. *Siete medallones,* c. 1400. Láminas de marfil talladas y policromadas. Ø: 2,3 cm. Franco-Flamencos

E10. *La Virgen con el Niño,* c. 980-1000. Marfil. Altura: 15,2 cm. Constantinopla

ESCULTURAS

S45. *El León de San Marcos,* siglo XIII. Mármol. Altura: 38,8 cm. Sur de Italia.

PRIMITIVOS NEERLANDESES

SALA 3

60. BOUTS, Dieric (seguidor de). *La Virgen con el Niño,* c. 1465. Óleo sobre tabla, 28,5 x 20 cm.

121. CHRISTUS, Petrus. *La Virgen del árbol seco,* c. 1450. Óleo sobre tabla, 17,4 x 12,3 cm.

124. DARET, Jacques. *La Adoración del Niño,* 1434-1435. Óleo sobre tabla, 60 x 53 cm.

125. DAVID, Gerard. *La Crucifixión.* Óleo sobre tabla, 88 x 56 cm.

137.a-b. EYCK, Jan van. *Díptico de la Anunciación,* c. 1435-1441. Óleo sobre tabla, cada ala: 39 x 24 cm.

142. FLANDES, Juan de. *La Piedad,* c. 1500. Óleo sobre tabla, 23 x 30 cm.

251.a. MAESTRO DE LA LEYENDA DE LA MAGDALENA (atribuido al). *Retrato de un hombre como San Andrés,* c. 1480. Óleo sobre tabla, 28,2 x 19,7 cm.

252.a-e. MAESTRO DE LA LEYENDA DE SANTA LUCÍA. *Tríptico de la Piedad,* c. 1475. Óleo sobre tabla, panel central: 75 x 61 cm.; alas: 75 x 27 cm.

253. MAESTRO DE LA LEYENDA DE SANTA ÚRSULA. *La Virgen con el Niño y dos Ángeles,* c. 1480. Óleo sobre tabla, 36,6 x 27 cm.

255. MAESTRO DE LA MADONNA ANDRÉ. *La Virgen con el Niño entre ángeles,* c. 1500. Óleo sobre tabla, 62 x 31 cm.

269. MAESTRO DE LA VIRGO INTER VIRGINES. *La Crucifixión,* c. 1487. Óleo sobre tabla, 78 x 58,5 cm.

270. MAESTRO DE LA VIRGO INTER VIRGINES (seguidor de). *La Última Cena.* Óleo sobre tabla, 69,7 x 38 cm.

261. MAESTRO DE LA VISTA DE SANTA GÚDULA. *Vestir al desnudo,* c. 1470. Óleo sobre tabla, 63,5 x 41,5 cm.

435. WEYDEN, Roger van der. *La Virgen con el Niño entronizada,* c. 1433. Óleo sobre tabla, 14 x 10,5 cm.

ESCULTURAS

S57. *Santa Ana con la Virgen y el Niño,* c. 1480-1500. Nogal con trazas de oro y policromía. Sur de los Países Bajos. Altura: 100 cm.

Vitrina Nº2
Relicarios

E1. *Paloma Eucarística,* c. 1210. Cobre y esmalte champlevé. Altura: 21,5 cm. Limoges

E2. *Cabeza de un báculo con San Miguel y el dragón,* 1225-1250. Cobre y esmalte champlevé. Altura: 18,4 cm. Limoges

O32. *Cabeza relicario,* 1200-1400. Plata con zonas sobredoradas. Altura: 26 cm. Italia

E33. *Relicario,* c. 1200-1250. Cobre, esmalte champlevé y cristal de roca. Altura: 28 cm. Limoges

S54. *Busto relicario,* 1350-1370. Nogal policromado. Altura: 47,6 cm. Colonia

EL QUATTROCENTO ITALIANO

SALA 4

94. ANÓNIMO FRANCO-FLAMENCO activo en Nápoles. *La Crucifixión.* Temple sobre tabla, 44,8 x 34 cm.

53. BONFIGLIO, Benedetto. *La Anunciación,* c. 1455. Oro y temple sobre tabla, 51 x 36,5 cm.

57. BOTTICINI, Francesco. *Santa Cecilia entre San Valeriano y San Tiburcio con una donante.* Tabla, 52 x 44,5 cm.

61. BRAMANTINO. *Cristo resucitado.* Óleo sobre tabla, 109 x 73 cm.

107. COSTA, Lorenzo. *La Virgen con el Niño entronizada,* c. 1495. Óleo sobre tabla, 49,5 x 36,5 cm.

168. GOZZOLI, Benozzo. *San Jerónimo con otro Santo,* c. 1470. Temple sobre tabla, 22,3 x 43,5 cm.

344. ROBERTI, Ercole de'. *Los Argonautas abandonan Cólquida,* c. 1480. Tabla, 35 x 26,5 cm.

410. TURA, Cosme. *San Juan Evangelista en Patmos,* c. 1470. Temple sobre tabla, 27 x 32 cm.

411. UCCELLO, Paolo. *La Crucifixión con la Virgen, los Santos Juanes y San Francisco,* c. 1460-1465. Temple sobre tabla, 45 x 67 cm.

426. VIVARINI, Alvise. *San Juan Bautista,* c. 1475. Temple y óleo sobre tabla, 48,5 x 33,5 cm.

446. ZOPPO. *San Jerónimo en el desierto,* 1460-1470. Técnica mixta sobre tabla, 39 x 29 cm.

MUEBLES

M18. NERROCCIO DE'LANDI (taller de). *Cassone con escenas de un torneo,* c. 1470-1475. Madera dorada. Altura: 65 cm. Siena u Orvieto

TEXTILES

T87. *La Piedad,* c. 1530. Lana. 97 x 206 cm. Italia

ESCULTURAS

S46. AGOSTINO DI DUCCIO (Taller de). *La Virgen con el Niño y cuatro ángeles,* c. 1465-1470. Estuco pintado. Altura: 83,5 cm.

S48.1-2. ROBBIA, Andrea della (taller de). *Dos ángeles en adoración,* c. 1510. Terracota parcialmente vidriada. Altura: 95,7 y 99,7 cm.

EL RETRATO EN EL PRIMER RENACIMIENTO

SALA 5

11. ANÓNIMO FRANCO-FLAMENCO del siglo XV. *Retrato póstumo de Wenceslao de Luxemburgo, duque de Brabante,* c.1400-1415. Oleo sobre tabla, 34,4 x 25,4 cm.

18. ANTONELLO DA MESSINA. *Retrato de un hombre,* c. 1475-1476. Óleo sobre tabla, 27,5 x 21 cm.

74. CAMPIN, Robert. *Retrato de un hombre robusto (¿Robert de Masmines?),* c. 1425 (?). Oleo sobre tabla, 35,4 x 23,7 cm.

89. CLEVE, Joos van. *Autorretrato,* c. 1519. Oleo sobre tabla, 38 x 27 cm.

105. COSSA, Francesco del. *Retrato de un hombre,* 1472-1477. Oleo sobre tabla, 38,5 x 27,5 cm.

130. DOMENICO VENEZIANO. *Monje con una cruz,* 1445-1448. Tabla, 69 x 44 cm.

141. FLANDES, Juan de. *Retrato de una Infanta (¿Catalina de Aragón?),* c. 1496. Oleo sobre tabla, 31,5 x 22 cm.

158. GHIRLANDAIO, Domenico. *Retrato de Giovanna Tornabuoni,* 1488. Técnica mixta sobre tabla, 77 x 49 cm.

191. HOLBEIN, Hans El Joven. *Retrato de Enrique VIII de Inglaterra,* c. 1534-1536. Oleo sobre tabla, 28 x 20 cm.

284.a-b. MEMLING, Hans. (a) *Retrato de un hombre joven orante,* c. 1485. (b) *Florero.* Oleo sobre tabla, 29 x 22,5 cm.

319. PIERO DELLA FRANCESCA. *Retrato de un niño (¿Guidobaldo de Montefeltro?),* c. 1483. Temple sobre tabla, 41 x 27,5 cm.

372. SOLARIO, Andrea. *Retrato de un joven,* posterior a 1490. Óleo sobre tabla, 29,5 x 26 cm.

436. WEYDEN, Roger van der (atribuido a). *Retrato de un hombre (¿Pierre de Beffrement, conde de Charny?),* c. 1464. Óleo sobre tabla, 32 x 22,8 cm.

GALERÍA VILLAHERMOSA

SALA 6

55. BORDONE, París. *Retrato de una joven,* c. 1540-1560. Óleo sobre lienzo, 103 x 83 cm.

64. BRONZINO. *Retrato de un joven como San Sebastián,* c. 1525-1528. Óleo sobre tabla, 87 x 76,5 cm.

310. PALMA EL VIEJO. *Retrato de una mujer joven llamada "La Bella",* c. 1525. Óleo sobre lienzo, 95 x 80 cm.

330. RAFAEL. *Retrato de un adolescente (¿Alejandro de Médicis?)*, c. 1515. Óleo sobre tabla, 43,8 x 29 cm.

423. VERONÉS, Pablo. *Retrato de una mujer con perro*, 1560-1570. Óleo sobre lienzo, 105 x 79 cm.

428. VOUET, Simon. *El rapto de Europa*, c. 1640. Óleo sobre lienzo, 179 x 141,5 cm.

448. ZURBARÁN, Francisco de. *Santa Casilda*, c. 1640-1645. Óleo sobre lienzo, 171 x 107 cm.

192. HOLBEIN, Hans El Joven (atribuido a). *Retrato de Thomas Cromwell*. Óleo sobre tabla, tondo de 11 cm.

Vitrina Nº3
Esmaltes

E11.1-2. REYMOND, Pierre. Pareja de vasos con tapa, siglo XVI. Esmalte sobre cobre. Altura de cada uno: 23 cm. Limoges

E12.1-2. Pareja de candeleros con grutescos, siglo XVI. Esmalte sobre cobre. Altura de cada uno: 24 cm. Limoges

E13. REYMOND, Pierre. Plato con el Laocoonte, siglo XVI. Esmalte sobre cobre. Ø: 40,5 cm. Limoges

E14.1-2. REYMOND, Pierre. Pareja de jarras, c. 1580. Esmalte. Altura de cada una: 27 cm. Limoges

E15. COURTEYS, Pierre. Plato de Limoges, siglo XVI. Esmalte. Ø: 19 cm. Limoges

E16.1-2. Pareja de platos de Limoges, siglo XVI. Esmalte. Ø: de cada uno: 20 cm. Limoges

Vitrina Nº 4
Joyas

J35. *Colgante con retrato*, c. 1570. Oleo sobre plata; oro y esmalte. Altura: 8,4 cm. Florencia (?) ó España (?)

J36. *Colgante con busto femenino*, c. 1600. Calcedonia montada en oro esmaltado con diamantes. Altura: 9,7 cm. España (Montura); Italia o España (Busto)

J37. *Colgante talismán* (Higa), c. 1550-1600. Marfil montado en oro esmaltado. Altura: 5,2 cm. España

J38. *Colgante relicario con el Sagrado Corazón de Jesús.* c. 1600. Oro esmaltado con rubíes, diamantes y una perla. Altura: 9,5 cm. España

J39. *Colgante con el Niño Jesús*, finales del siglo XVI. Oro esmaltado con esmeraldas y una perla. Altura: 5,2 cm. España

J40. *Colgante con una cierva*, c. 1570. Oro esmaltado con una perla y rubíes. Altura: 8,5 cm. España

J41. *Colgante con un aguila explayada*, c. 1600. Oro esmaltado con rubíes, perlas y esmeraldas. Altura: 6,4 cm. España (?)

J42. *Colgante con Santiago Matamoros*, c. 1575. Agata tallada montada en oro esmaltado. Ø: 4,8 cm. España

J43. *Colgante con la figura de la Fé*, c. 1600. Oro esmaltado con diamantes y una perla. Altura: 8 cm. España

Vitrinas Nᵒˢ 5-8
Orfebreria

O61. JAMNITZER, Wenzel (círculo de). *Jarra con cinco musas*, c. 1550. Plata sobredorada decorada con relieves. Altura: 17,5 cm. Nuremberg

O62. *Jarra con monedas*, c. 1575-1600. Plata con zonas sobredoradas y adornos fundidos. Altura: 17,5 cm. Transilvania

O63. BAIR, Melchior. *Vaso coronado por un guerrero*, c. 1600. Plata sobredorada decorada con relieves. Altura: 50 cm. Augsburgo

O64. REHLEIN, Martin. *Copa coronada por un guerrero*, c. 1595. Plata sobredorada decorada con relieves y adornos fundidos. Altura: 55,7 cm. Nüremberg

O65. REHLEIN, Martin; BAIR Gregor y DRENTWET I, Elias. *Copa "Rákóczy"*, c. 1570-1620. Plata sobredorada con relieves y filigrana. Altura: 56,8 cm. Augsburgo ó Nuremberg

O66. STRAUB, Heinrich. *Copa coronada por un ángel*, siglo XVII. Plata sobredorada decorada con relieve e incisiones. Altura: 52 cm. Nuremberg

O67.1-2. *Doble copa lobulada con mascarones*, c. 1570. Plata sobredorada con relieves e incisiones. Altura de cada copa: 30,3 y 30,2 cm. Augsburgo

68. MYLIUS, Daniel Friedrich. *Jarra coronada por un cisne*. Plata sobredorada con relieves. Altura: 22 cm. Danzig

O69.1-2. *Doble copa con lóbulos*, c. 1565. Plata sobredorada con relieves e incisiones.. Altura de cada copa: 23,7 y 23,5 cm. Augsburgo

O70. *Jarra "Hanse"*, c. 1580. Plata sobredorada decorada con relieves y adornos fundidos. Altura: 49 cm. Lübeck

O71. BRUSSEL. Wolf. *Copa de coco con tres escenas del Antiguo y Nuevo Testamento*, c. 1550. Coco tallado montado en plata sobredorada. Altura: 29,1 cm. Nuremberg

O72. LINDEN, Esaias zur. *Copa de cuerno de rinoceronte*, c. 1610. Cuerno de rinoceronte tallado montado en plata sobredorada. Altura: 17,1 cm. Nuremberg

O73. *Copa de cuarzo con un sátiro en el vástago,* c. 1560-1570. Cuarzo tallado montado en plata sobredorada. Altura: 25 cm. Amberes (?)

O74. HARDERS, Claus. *Copa de concha turbo coronada por la Fortuna,* finales del siglo XVI. Concha turbo montada en plata sobredorada. Altura: 19,5 cm. Lüneburg

O75. FLORIS, Cornelius. *Copa nautilo con un sátiro,* c. 1577. Nautilo montado en plata sobredorada con relieves. Altura: 32 cm. Delf

O76. BELLEKIN, Cornelius. *Copa de concha nautilo con un cisne,* 1650-1675 y 1710-1720. Concha nautilo montada en plata sobredorada. Altura: 28,8 cm. Augsburgo (?)

O77.1-2. *Doble copa con lóbulos y mascarones,* fines del siglo XVI. Plata sobredorada con relieves. Altura de cada copa: 20 cm. Nuremberg

O78. *Copa de coco con tres escenas de la Biblia,* c. 1570. Coco tallado montado en plata sobredorada. Altura: 32,7 cm. Alemania

O79. LEEUVEN, Tymen van. *Copón coronado por una cruz,* 1661. Plata sobredorada con relieves. Altura: 52 cm. Utrecht

O80. SCHENAUER, Jakob. *Vaso con el juicio de Paris,* c. 1585. Plata sobredorada con relieves y adornos fundidos. Altura: 15,8 cm. Augsburgo

O81. MORINGER, Veit. *Copa con pie hexagonal,* c. 1555-1560. Plata sobredorada con relieves y gemas. Altura: 35 cm. Nuremberg

O82. PETZOLT, Hans. *Copa "Imhoff",* 1626. Plata sobredorada con relieves y adornos fundidos. Altura: 54,3 cm. Nuremberg

O83. GELB, Melchior. *Jarra con la cabeza de un hombre barbudo,* c. 1625. Plata con zonas sobredoradas. Altura: 25,8 cm. Augsburgo

MUEBLES

M19. *Cassone toscano,* c. 1500. Madera dorada. Alto: 58 cm. Toscana

M20. *Cassone florentino con garras de león,* principios del siglo XVI. Nogal con taracea. Altura: 68 cm. Florencia

M21. *Cassone romano con decoración tallada,* 1550-1600. Nogal. Altura: 76 cm. Roma

M22.1-4. *Conjunto de cuatro sillas florentinas,* 1500-1550. Nogal tallado y dorado. 102 cm. Florencia

M23.1-6. *Conjunto de seis sillas florentinas,* principios del siglo XVI. Nogal tallado. Altura: 98 cm. Florencia

M25. *Cassone veneciano,* c. 1570. Castaño pintado. Venecia

M29. *Cassone con animales fantásticos,* c. 1560. Nogal tallado y dorado. Altura: 55 cm. Italia Central

TEXTILES

T88. *Alfombra Jeziorak,* c. 1650-1700. Lana, algodón y seda. 174 x 269 cm. Persia

T89. *Kilim Figdor,* fines del siglo XVI y principios del XVII. Seda y algodón. 125 x 192 cm. Persia

T90. *Alfombra de oración Aynard,* c. 1625-1650. Lana cashmere y seda. 90 x 124 cm. India

T91. *Alfombra Braganza,* c. 1650. Algodón y lana. 358 x 990 cm. Indo-Persa. *Obra expuesta en el patio central

T92. *Alfombra Van Pannwitz,* siglo XVI. Seda, lana y algodón. 165 x 224 cm. Turquia

T86. *El arte de la cetrería,* c. 1500. Lana. Borgoña. *Obra expuesta en el patio central

ESCULTURAS

S47. RICCIO. *La Virgen con el Niño,* c. 1520-1525. Terracota con trazas de policromía. Altura: 64,4 cm.

S49. ROBBIA, Andrea della. *San Agustín,* c. 1490. Terracota vidriada con policromía. Ø : 75,3 cm.

S50.1.2. SANSOVINO, Jacopo. *Grupo de la Anunciación,* c. 1535. Terracota policromada. Altura: 85 cm. y 89,7 cm.

PINTURA ITALIANA DEL SIGLO XVI

SALA 7

20. ASPERTINI, Amico. *Retrato de Tommaso Raimondi,* c. 1500. Óleo sobre tabla, 41.5 x 32.5 cm.

30. BARTOLOMEO VENETO. *Retrato de un hombre,* 1525-1530. Óleo sobre tabla, 87,3 x 59 cm.

29. BARTOLOMEO, Fra. *La Sagrada Familia con San Juan Bautista,* c. 1506-1507. Óleo sobre tabla, 62 x 47 cm.

33. BECCAFUMI, Domenico. *La Virgen y el Niño con San Juan y San Jerónimo,* c. 1523-1524. Óleo sobre tabla, tondo de 85,5 cm.

38. BELLINI, Gentile. *La Anunciación,* c. 1465. Temple y óleo sobre tabla, 133 x 124 cm.

39. BELLINI, Giovanni. *Asunto Místico ("Nunc Dimittis..."),* 1505-1510. Óleo sobre tabla, 62 x 82,5 cm.

52. BOLTRAFFIO, Giovanni Antonio. *Retrato de una dama como Santa Lucía*, c. 1500. Óleo sobre tabla, 51,5 x 36,5 cm.

63. BRONZINO. *Cosme I de Médicis con armadura*. Óleo sobre tabla, 76,5 x 59 cm.

82. CARPACCIO, Vittore. *Joven caballero en un paisaje*, 1510. Óleo sobre lienzo, 218,5 x 151,5 cm.

145. FOSCHI, Pierfrancesco di Jacopo. *Retrato de una dama*, 1530-1535. Óleo sobre tabla, 101 x 79 cm.

159. GHIRLANDAIO, Ridolfo. *Retrato de un caballero de la casa Capponi*. Óleo sobre tabla, 80 x 60,5 cm.

230. LOTTO, Lorenzo. *Autorretrato*, Óleo sobre tabla, 43 x 35 cm.

232. LUINI, Bernardino. *La Virgen con el Niño y San Juanito*, 1523-1525. Óleo sobre lienzo, 86 x 60 cm.

309. PALMA EL VIEJO. *Sagrada Conversación*, 1515-1520. Óleo sobre lienzo, 105 x 136 cm.

320. PIERO DI COSIMO. *La Virgen y el Niño con Ángeles*, 1500-1510. Tabla, tondo de 78 cm.

369. SEBASTIANO DEL PIOMBO. *Retrato de Ferry Carondolet con sus secretarios*, 1510-1512. Óleo sobre tabla, 112,5 x 87 cm.

403. TINTORETTO. *El Paraíso*, c. 1583. Óleo sobre lienzo, 164 x 492 cm. *Obra expuesta en el Patio Central

405. TIZIANO. *Retrato del Dogo Francesco Vernier*, 1554-1556. Óleo sobre lienzo, 113 x 99 cm.

PINTURA ALEMANA DEL SIGLO XVI

SALA 8

259. ANÓNIMO ALEMÁN activo en Düren. *Cuatro escenas de la Pasión*, c. 1495-1500. Óleo sobre tabla, 163,8 x 55,5 cm.

264. ANÓNIMO ALEMÁN hacia 1480. *Retrato de una mujer*. Óleo sobre tabla, 50,4 x 39,2 cm.

265. ANÓNIMO ALEMÁN hacia 1480. *Retrato de un hombre*. Óleo sobre tabla, 55 x 43,5 cm.

22. BAEGERT, Derick. *El Buen Centurión*, 1477-1478. Óleo sobre tabla, 81,5 x 51 cm.

23. BAEGERT, Derick. *La Verónica y un grupo de caballeros*, 1477-1478. Óleo sobre tabla, 113 x 97,5 cm.

24. BAEGERT, Derick. *Cristo con la Cruz a cuestas*, 1477-1478. Óleo sobre tabla, 87 x 98 cm.

25. BAEGERT, Derick. *La Magdalena arrodillada*, 1477-1478. Óleo sobre tabla, 80 x 42,3 cm.

26. BAEGERT, Derick. *Caballeros y soldados jugando a los dados la capa de Cristo*, 1477-1478. Óleo sobre tabla, 159 x 92,3 cm.

67. BRUYN, Barthel El Viejo. *Retrato de un hombre de la Familia Weinsberg*, c. 1538-1539. Óleo sobre tabla, 35 x 25,5 cm.

68. BRUYN, Barthel El Viejo. *Retrato de una mujer*, c. 1538-1539. Óleo sobre tabla, 34,9 x 25,5 cm.

69. BRUYN, Bartholomeus El Viejo. *La Adoración del Niño*, c. 1520. Óleo sobre tabla, 62,5 x 55,5 cm.

71. BURGKMAIR, Hans El Viejo. *El Santo Entierro*, c. 1520. Óleo sobre tabla, 66,3 x 118,3 cm.

114. CRANACH, Lucas El Viejo. *La Virgen y el Niño con un racimo de uvas*, c. 1509-1510. Óleo sobre tabla, 71,5 x 44,2 cm.

134. DURERO, Alberto. *Jesús entre los doctores*, 1506. Óleo sobre tabla, 64,3 x 80,3 cm.

212.a-c. KULMBACH, Hans Süss von. *Tríptico del Rosario Celestial*. Óleo sobre tabla. Panel central: 117,2 x 84,3 cm., antes de 1510; alas: 122,5 x 37,8 cm. y 122,5 x 38,5 cm., 1513

250. MAESTRO DE GROSSGMAIN. *San Jerónimo*, 1498. Óleo sobre tabla, 67 x 49 cm.

308. PACHER, Michael (seguidor de). *La Virgen y el Niño con las Santas Margarita y Catalina*, c. 1500. Óleo sobre tabla, 166 x 76,5 cm.

380. STRIGEL, Bernhard. *El Anuncio a Santa Ana y San Joaquín*, c. 1505-1510. Óleo sobre tabla, 58 x 30 cm.

382. STRÜB, Jakob o Hans. *La Visitación*, c. 1505. Óleo sobre tabla, 80 x 55,7 cm.

ESCULTURAS

S55. *La Coronación de la Virgen*, c. 1520-1530. Madera de tilo policromada. Altura: 143 cm. Austria

S56. MAESTRO DEL ALTAR DE WERTTRINGER (atribuido al) o RIEMENSCHNEIDER, Tilmann (taller de). *La Piedad*, c. 1505-1510. Madera de tilo. Altura: 91 cm.

SALA 9

2. ALTDORFER, Albrecht. *Retrato de una mujer*, 1522 (?). Óleo sobre tabla, 59 x 45 cm.

4. AMBERGER, Christoph. *Retrato de Matthäus Schwarz*, 1542. Óleo sobre tabla, 73,5 x 61 cm.

258. ANÓNIMO ALEMÁN de la Escuela de Lucas Cranach El Viejo. *Retrato de una mujer a la edad de 26 años*, 1525. Óleo sobre tabla, 61,6 x 38,8 cm.

54. ANÓNIMO ALEMÁN hacia 1490. *Retrato de una dama con la Orden del Cisne*. Óleo sobre tabla, 44.7 x 28,2 cm.

188. ANÓNIMO ALEMÁN hacia 1525-1530. *Retrato de un joven*. Óleo sobre tabla, 32 x 26 cm.

27. BALDUNG GRIEN, Hans. *Adán y Eva*, 1531. Óleo sobre tabla, 147,5 x 67,3 cm.

28. BALDUNG GRIEN, Hans. *Retrato de una dama*, 1530(?). Óleo sobre tabla, 69,2 x 52,5 cm.

36. BEHAM, Barthel. *Retrato de Ruprecht Stüpf*, 1528. Óleo sobre tabla, 67,3 x 50,3 cm.

37. BEHAM, Barthel. *Retrato de Úrsula Rudolph, mujer de Ruprecht Stüpf*, 1528. Óleo sobre tabla, 67,3 x 50,3 cm.

271.a. BEURER, Wolfgang. *Retrato de un hombre*, 1487. Óleo sobre tabla, 37,3 x 27,5 cm.

244. BREU, Jörg El Viejo y un pintor anónimo. *Retrato de Coloman Helmschmid y Agnes Breu*, c. 1500-1505. Óleo sobre tabla, 38 x 47,9 cm.

92. CLOUET, François. *La carta amorosa*, c. 1570. Óleo sobre papel adherido a tabla, 41,4 x 55 cm.

108. CRANACH, Hans. *Hércules y las doncellas de Onfalia*, 1537. Óleo sobre tabla, 57,5 x 85,3 cm.

109. CRANACH, Hans. *Retrato de un hombre barbado*, 1534. Óleo sobre tabla, 51,4 x 35,1 cm.

112. CRANACH, Lucas El Viejo. *Retrato del Emperador Carlos V*, 1533. Óleo sobre tabla, 51,2 x 36 cm.

115. CRANACH, Lucas El Viejo. *La Ninfa de la fuente*, c. 1530-1534. Óleo sobre tabla, 75 x 120 cm.

113. CRANACH, Lucas El Joven. *Retrato de una mujer*, 1539. Óleo sobre tabla, 61,5 x 42,2 cm.

189. HOLBEIN, Hans El Viejo. *Retrato de una mujer*, c. 1518-1520. Óleo sobre tabla, 23,6 x 17 cm.

190. HOLBEIN, Hans El Viejo. *Retrato de un hombre*, c. 1518-1520. Óleo sobre tabla, 23,7 x 17 cm.

213. MAESTRO DEL MONOGRAMA "TK". *Retrato de un hombre (¿Georg Thurzo?)*, 1518. Óleo sobre tabla, 45,5 x 33,5 cm.

214. MAESTRO DEL MONOGRAMA "TK". *Retrato de una mujer (¿Anna Fugger?)*, 1518. Óleo sobre tabla, 45,5 x 33,2 cm.

254. MAESTRO DEL JUICIO FINAL DE LÜNEBURG. *Retrato de un hombre joven*, c. 1485. Óleo sobre tabla, 62 x 38,5cm.

275. MALER, Hans. *Retrato de la Reina Ana de Hungría y Bohemia*, 1519. Óleo sobre tabla, 44 x 33,3 cm.

325. POLACK, Jan. *Retrato de un abad benedictino*, 1484. Óleo sobre tabla, 57,3 x 41 cm.

366. SCHAFFNER, Martin. *Retrato de un hombre*, c. 1515. Óleo sobre tabla, 35,5 x 25,5 cm.

379. STRIGEL, Bernhard. *Retrato de un caballero*, 1528(?). Óleo sobre tabla, 42,9 x 30,3 cm.

408. TRAUT, Wolf. *Retrato de una mujer*, 1510. Óleo sobre tabla, 37,5 x 28,5 cm.

434. WERTINGER, Hans. *Retrato de "El Caballero Cristóbal"*, 1515. Óleo sobre tabla, 113 x 61,5 cm.

440. WOLGEMUT, Michael. *Retrato de Levinus Memminger*, c. 1485. Óleo sobre tabla, 33,7 x 22,9 cm.

443. ZEHENDER, Gabriel. *Retrato de un matrimonio*, 1525. Óleo sobre tabla, 40,9 x 51,5 cm.

PINTURA NEERLANDESA DEL SIGLO XVI

SALA 10

9. ANÓNIMO FLAMENCO hacia 1530. *La Virgen, de pie, dando de mamar al Niño*. Óleo sobre tabla, 27,7 x 20,2 cm.

10. ANÓNIMO FLAMENCO hacia 1540. *Descanso en la huida a Egipto*. Óleo sobre tabla, 43,5 x 29,5 cm.

13. ANÓNIMO HOLANDES activo en Amberes. *La Virgen dando de mamar al Niño*, c. 1525. Acuarela y óleo sobre tela adherida a tabla, 39,7 x 29,7 cm.

14. ANÓNIMO HOLANDES del círculo de Lucas van Leyden. *San Pablo*, 1525. Óleo sobre tabla, 44 x 21 cm.

34. BEER, Jan de. *El nacimiento de la Virgen*, c. 1520. Óleo sobre tabla, 111,5 x 131 cm.

35. BEER, Jan de. *La Anunciación*, c. 1520. Óleo sobre tabla, 111,5 x 131 cm.

41. BENSON, Ambrosius. *Caballero orando*, c. 1525. Óleo sobre tabla, 35,5 x 26 cm.

90. CLEVE, Joos van. *Niño de pasión sobre la bola del mundo*, c. 1530. Óleo sobre tabla, 37 x 26 cm.

93. COCK, Jan Wellens de. *Las tentaciones de San Antonio*, c. 1520. Óleo sobre tabla, 60 x 45,5 cm.

100. CORNEILLE DE LYON. *Retrato de Robert de la Marck,* c. 1535. Óleo sobre tabla, 18,5 x 15,5 cm.

101. CORNELISZ. Jacob van Oostsanen. *Retrato de una dama (¿Isabel de Dinamarca?),* c. 1524. Óleo sobre tabla, 33 x 23 cm.

163. GOSSAERT, Jan. *Adán y Eva,* c.1507-1508. Óleo sobre tabla, 56,5 x 37 cm.

183. HEEMSKERCK, Maerten van. *Retrato de una dama hilando,* c. 1531. Óleo sobre tabla, 105 x 86 cm.

220. LEYDEN, Aertgen van. *Retrato de un donante,* c. 1530 (?). Óleo sobre tabla, 25,5 x 22 cm.

221. LEYDEN, Lucas Hugensz van. *Los jugadores de cartas,* c. 1520. Óleo sobre tabla, 29,8 x 39,5 cm.

249. MAESTRO DE FRANKFURT. *La Sagrada Familia,* c. 1508. Óleo sobre tabla, 76 x 57 cm.

293. MOSTAERT, Jan. *Las almas de los justos en el Limbo con una donante,* c. 1520. Óleo sobre tabla, 24 x 16 cm.

294. MOSTAERT, Jan. *Abraham y Agar.* Óleo sobre tabla, 94 x 131 cm.

305. ORLEY, Bernaert van. *El Descanso en la Huida a Egipto,* c. 1515. Óleo sobre tabla, 87,5 x 72,2 cm.

314. PATINIR, Joachim. *Paisaje con el descanso en la huida a Egipto,* c. 1515-1516. Óleo sobre tabla, 31,5 x 57,5 cm.

328. PROVOST, Jan. *Retrato femenino de un donante,* c. 1505. Óleo sobre tabla, 53,5 x 46 cm.

332. REYMERSWAELE, Marinus Claeszum van. *La vocación de San Mateo,* c. 1530. Óleo sobre tabla, 70,6 x 88 cm.

368. SCOREL, Jan van. *La Virgen de los narcisos con el Niño y dos donantes,* c. 1535 (?). Óleo sobre tabla, 55,5 x 76,2 cm.

414. VALCKENBORCH, Lucas van (?). *La matanza de los inocentes,* 1586. Óleo sobre tabla, 76,6 x 108,1 cm.

TIZIANO, TINTORETTO, BASSANO Y EL GRECO

SALA 11

17. ANÓNIMO VENECIANO hacia 1570. *La Última Cena.* Óleo sobre lienzo, 121 x 190 cm.

31. BASSANO, Jacopo da Ponte. *Escena pastoril,* c. 1560. Óleo sobre lienzo, 139 x 129 cm.

169. GRECO, EL. *Cristo sosteniendo la Cruz,* 1602-1607. Óleo sobre lienzo, 66 x 52,5 cm.

170. GRECO, EL. *La Inmaculada Concepción,* 1607-1613. Óleo sobre lienzo, 108 x 82 cm.

171. GRECO, EL. *Anunciación,* 1596-1600. Óleo sobre lienzo, 114 x 67 cm.

172. GRECO, EL. *Anunciación,* 1567-1577. Óleo sobre lienzo, 117 x 98 cm.

401. TINTORETTO. *El encuentro de Tamar y Judá,* c. 1555-1558. Óleo sobre lienzo, 150 x 155 cm.

402. TINTORETTO. *El anuncio a la mujer de Manué,* c. 1555-1558. Óleo sobre lienzo, 150 x 155 cm.

406. TIZIANO. *San Jerónimo en el desierto,* c. 1575. Óleo sobre lienzo, 135 x 96 cm.

EL PRIMER BARROCO. CARAVAGGIO Y BERNINI

SALA 12

347. BABUREN, Dirck Jaspersz van (atribuido a). *San Sebastián atendido por Santa Irene y su criada,* c. 1615. Óleo sobre lienzo, 169 x 128 cm.

81. CARAVAGGIO. *Santa Catalina de Alejandría,* c. 1597. Óleo sobre lienzo, 173 x 133 cm.

155. GENTILESCHI, Orazio. *Lot y sus hijas,* c. 1621-1623. Óleo sobre lienzo, 120 x 168,5 cm.

335. RIBERA, José de. *San Jerónimo penitente,* 1634. Óleo sobre lienzo, 78 x 126 cm.

336. RIBERA, José de. *La Piedad,* 1633. Óleo sobre lienzo, 157 x 210 cm.

415. VALENTIN DE BOULOGNE. *David con la cabeza de Goliat y dos soldados,* 1620-1622. Óleo sobre lienzo, 99 x 134 cm.

ESCULTURAS

S51. BERNINI, Giovanni Lorenzo. *San Sebastián,* 1615. Mármol. Altura: 98,8 cm.

EL BARROCO EN EL SIGLO XVII

SALA 13

59. BOURDON, Sebastien. *La Sagrada Familia con Santa Isabel y San Juanito,* c. 1660-1670. Óleo sobre lienzo, 39 x 50 cm.

139. FETTI, Domenico. *El Buen Samaritano,* 1610-1623. Óleo sobre tabla, 59,6 x 43,7 cm.

140. FETTI, Domenico. *La parábola del sembrador,* 1610-1623 Óleo sobre tabla, 61 x 44,5 cm.

218. LE NAIN, Antoine. *Niños cantando y tocando el violín*, c. 1640. Óleo sobre cobre, 19,5 x 25,5 cm.

226. LORENA, Claudio de. *Paisaje idílico con la huida a Egipto*, 1663. Óleo sobre lienzo, 193 x 147 cm.

287. MOLA, Pier Francesco. *San Juan Bautista predicando en el desierto*, c. 1650-1655. Óleo sobre lienzo, 73,5 x 99 cm.

363. SALINI, Tommaso. *Joven campesino con garrafa*, c. 1610. Óleo sobre lienzo, 99 x 73 cm.

SALA 14

160. GHISLANDI, Fra Vittore. *Retrato de un orfebre*. Óleo sobre lienzo, 73 x 57 cm.

A 807. GIORDANO, Luca. *El juicio de Salomón*. Óleo sobre lienzo, 250,8 x 308 cm.

327. PRETI, Mattia. *Un Concierto*, c. 1630-1640. Óleo sobre lienzo, 107 x 145 cm.

A 822. PRETI, Mattia. *La liberación de San Pedro*, c. 1645. Óleo sobre lienzo, 145,5 x 197,5 cm.

SALA 15

381. STROZZI, Bernardo. *Santa Cecilia*, 1623-1625. Óleo sobre lienzo, 150 x 110 cm.

129. DOLCI, Carlo. *El Niño Jesús con una corona de flores*, 1663. Óleo sobre lienzo, 103 x 71 cm.

176. GUERCINO, IL. *Jesús y la Samaritana junto al pozo*, 1640-1641. Óleo sobre lienzo, 116 x 156 cm.

278. MARATTA, Carlo. *El evangelista San Marcos*, c. 1670. Óleo sobre lienzo, 101 x 74,5 cm.

296. MURILLO, Bartolomé Esteban. *La Virgen y el Niño con Santa Rosalía de Palermo*, c. 1670. Óleo sobre lienzo, 190 x 147 cm.

A 820. MURILLO, Bartolomé Esteban. *San Francisco en éxtasis*, c. 1650-1655. Óleo sobre lienzo, 168,7 x 113 cm.

A 825. SOMER, Hendrik van. *Lot y sus hijas*. Óleo sobre lienzo, 148,5 x 194,5 cm.

PINTURA ITALIANA DEL SIGLO XVIII

SALA 16

A 802. CANALETTO. *San Giovanni e Paolo en Venecia*. Óleo sobre lienzo, 42 x 32,5 cm.

A 803. CANALETTO. *Interior idealizado de un Palacio*, 1765. Óleo sobre lienzo, 42 x 32,5 cm.

311. PANINI, Giovanni Paolo. *La Expulsión de los mercaderes del Templo*, 1724. Óleo sobre lienzo, 74 x 99 cm.

312. PANINI, Giovanni Paolo. *La piscina probática*, c. 1724. Óleo sobre lienzo, 74 x 99 cm.

340. RICCI, Sebastiano. *Neptuno y Anfítrite*, c. 1691-1694 Óleo sobre lienzo, 94 x 75 cm.

341. RICCI, Sebastiano. *Baco y Ariadna*, 1691-1694 Óleo sobre lienzo, 94 x 75 cm.

SALA 17

40. BELLOTTO, Bernardo. *Vista idealizada en torno a Padua*, c. 1740-1742. Óleo sobre lienzo, 48,5 x 73 cm.

75. CANALETTO. *Vista de la Plaza San Marcos en Venecia*, antes de 1723. Óleo sobre lienzo, 141,5 x 204,5 cm.

76. CANALETTO. *Vista del Canal Grande desde San Vío en Venecia*, antes de 1723. Óleo sobre lienzo, 140,5 x 204,5 cm.

78. CANALETTO. *Fachada sur del Castillo de Warwick*, c. 1749. Óleo sobre lienzo, 75 x 120,5 cm.

174. GUARDI, Francesco. *Vista del Canal Grande con Santa Lucía y Santa María di Nazareth*, c. 1780. Óleo sobre lienzo, 48 x 78 cm.

175. GUARDI, Francesco. *Vista del Canal Grande con San Simeone Piccolo y Santa Lucía*, c. 1780. Óleo sobre lienzo, 48 x 78 cm.

281. MARIESCHI, Michele. *Vista del Canal Grande con Santa María della Salute*. Óleo sobre lienzo, 83,5 x 121 cm.

394. TIEPOLO, Giambattista. *La muerte de Jacinto*, 1752-1753. Óleo sobre lienzo, 287 x 232 cm.

397. TIEPOLO, Giandomenico. *Apoteosis de Hércules*, c. 1765. Óleo sobre lienzo, 101,5 x 85,5 cm.

A 830. ZOCCHI, Giuseppe. *Vista de Florencia y del Arno*. Óleo sobre lienzo, 57 x 87,5 cm.

SALA 18

32. BATONI, Pompeo Girolamo. *Retrato de la condesa de San Martino*, 1785. Óleo sobre lienzo, 99 x 74 cm.

87. CERUTI, Giacomo. *Retrato de un hombre*, c. 1750. Óleo sobre lienzo, 119,5 x 95,5 cm.

88. CERUTI, Giacomo. *Retrato de una dama*, c. 1750. Óleo sobre lienzo, 119,5 x 95,5 cm.

116. CRESPI, Giuseppe Maria. *Retrato del Conde Fulvio Grati*. Óleo sobre lienzo, 228 x 153 cm.

224. LONGHI, Pietro. *Las cosquillas,* c. 1755. Óleo sobre lienzo, 61 x 48 cm.

316. PIAZZETTA, Giovanni Battista. *Retrato de Giulia Lama,* c. 1715. Óleo sobre lienzo, 69.4 x 55.5 cm.

324. PITTONI, Giovanni Battista. *El Sacrificio de Políxena,* 1730-1740. Óleo sobre lienzo, 72 x 58 cm.

A 823. RICCI, Sebastiano. *Betsabé en el baño, 1728.* Óleo sobre lienzo, 39 x 31,5 cm.

396. TIEPOLO, Giambattista. *La muerte de Sofonisba,* c. 1755-1760. Óleo sobre lienzo, 48,3 x 38,2 cm.

PINTURA FLAMENCA DEL SIGLO XVII

SALA 19

66. BRUEGHEL I, Jan. *Cristo en la tempestad del mar de Galilea,* 1596. Óleo sobre cobre, 26,6 x 35 cm.

A 801. BRUEGHEL I, Jan. *El Paraíso,* c.1612. Óleo sobre tabla, 59,4 x 95,6 cm.

135. DYCK, Anton van. *Retrato de Jacques Le Roy,* 1631. Óleo sobre lienzo, 117,8 x 100,6 cm.

206. KETEL, Cornelis. *Retrato de un caballero a la edad de 58 años,* 1594. Óleo sobre tabla, 83,2 x 65,8 cm.

207. KETEL, Cornelis. *Retrato de una dama a la edad de 56 años,* 1594. Óleo sobre tabla, 83 x 67,3 cm.

208. KEY, Adriaen Thomasz. *Guillermo I, Príncipe de Orange, llamado "El Taciturno",* 1579. Óleo sobre tabla, 45,3 x 32,8 cm.

288. MAESTRO DEL MONOGRAMA "IDM". *Vista de un puerto fluvial con el Castillo de Sant'Angelo.* Óleo sobre tabla, 50,2 x 94 cm.

289. MAESTRO DEL MONOGRAMA "IDM". *Vista de un pueblo a la orilla de un río.* Óleo sobre tabla, 49,8 x 94 cm.

291. MORO, Antonio. *Giovanni Battista di Castaldo,* c. 1550. Óleo sobre tabla, 107,6 x 82,2 cm.

350. RUBENS, Peter Paul. *Venus y Cupido,* 1600-1608. Óleo sobre lienzo, 137 x 111 cm.

351. RUBENS, Peter Paul. *La ceguera de Sansón,* 1609-1610. Óleo sobre tabla, 37,5 x 58,5 cm.

352. RUBENS, Peter Paul. *Retrato de una joven dama con rosario,* c. 1609-1610. Óleo sobre tabla, 107 x 76,7 cm.

348. RUBENS, Peter Paul (taller de). *San Miguel expulsando a Lucifer y a los ángeles rebeldes,* c. 1622. Óleo sobre lienzo, 149 x 126 cm.

388. TENIERS II, David y KESSEL I, Jan van. *Rendición de los rebeldes sicilianos a Antonio de Moncada en 1411,* 1663. Óleo sobre cobre, 54 x 68,2 cm.

389. TENIERS II, David y KESSEL I, Jan van. *La entrega del bastón de Capitán General a Antonio de Moncada por la reina Blanca, regente de Sicilia en 1410,* 1664. Óleo sobre cobre, 54,5 x 68,9 cm.

427. VOS, Cornelis de. *Antonia Canis,* 1624. Óleo sobre tabla, 123,7 x 94,2 cm.

PINTURA HOLANDESA DEL SIGLO XVII. CORRIENTES ITALIANIZANTES Y RETRATOS

SALA 20

62. BREENBERGH, Bartholomeus. *Vista idealizada con ruinas romanas, esculturas y un puerto al fondo,* 1650. Óleo sobre lienzo, 115,6 x 88,7 cm.

393. BRUGGHEN, Hendrick ter. *Esaú vendiendo su primogenitura,* c. 1627. Óleo sobre lienzo, 106,7 x 138,8 cm.

136. EVERDINGEN, Cesar van. *Vertumno y Pomona.* Óleo sobre tabla, 47,9 x 38,9 cm.

201. JORDAENS, Jacob (y taller). *La Sagrada Familia con un Angel,* c. 1618-1628. Óleo sobre lienzo, 89,7 x 103 cm.

225. LOO, Jakob van. *Grupo de músicos,* ca. 1650. Óleo sobre lienzo, 73,3 x 66 cm.

375. STOM, Matthias. *La Cena de Emaús,* c. 1633-1639. Óleo sobre lienzo, 111,8 x 152,4 cm.

384. SWEERTS, Michiel. *Soldados jugando a los dados,* c. 1656-1658. Óleo sobre lienzo, 86,7 x 74 cm.

385. SWEERTS, Michiel. *Muchacho con turbante y un ramillete de flores,* c. 1655. Óleo sobre lienzo, 76,4 x 61,8 cm.

A 827. VERKOLJE, Nicolas. *Moisés hallado en el Nilo.* Óleo sobre lienzo, 99 x 115 cm.

442. WTEWAEL, Joachim. *La Sagrada Familia con Ángeles y Santos,* c. 1606-1610. Óleo sobre cobre, 19,8 x 15,5 cm.

SALA 21

51. BOL, Ferdinand. *Joven con una pluma en el sombrero,* c. 1647. Óleo sobre lienzo, 88,6 x 77 cm.

390. BORCH, Gerard ter. *Retrato de un hombre a la edad de 42 años,* 1652. Óleo sobre cobre, 24,1 x 19,3 cm.

391. BORCH, Gerard ter. *Retrato de una mujer a la edad de 30 años,* c. 1652. Óleo sobre cobre, 23,9 X 18,9 cm.

392. BORCH, Gerard ter. *Retrato de un hombre leyendo un documento,* c. 1675. Óleo sobre lienzo, 48 x 39,5 cm.

143. FLINCK, Govert. *Retrato de un caballero,* 1640. Óleo sobre tabla, 67,1 x 55,1 cm.

184. HELST, Bartholomeus van der. *Retrato de un hombre ante un escritorio con documentos,* c. 1655. Óleo sobre lienzo, 105 x 88 cm.

186. HEYDEN, Jan Jansz van der. *Rincón de un Biblioteca,* c. 1710-1712. Óleo sobre lienzo, 77 x 63,5 cm.

209. KEYSER, Thomas Hendricksz de. *Retrato de dos mujeres y un niño,* 1632. Óleo sobre tabla, 70,2 x 50,2 cm.

242. MAES, Nicolaes. *Retrato de un caballero,* c. 1666-1667. Óleo sobre lienzo, 91,4 x 72,7 cm.

243. MAES, Nicolaes. *Retrato de una dama,* 1667. Óleo sobre lienzo, 91,7 x 72,4 cm.

286. MIERIS I, Frans van. *Retrato de una dama con un perro en el regazo,* 1672. Óleo sobre tabla, 31,7 x 25,4 cm.

302. NETSCHER, Caspar. *Retrato de una dama,* 1676. Óleo sobre lienzo, 54,2 x 44,7 cm.

301. NETSCHER, Caspar (atribuido a). *Retrato de un caballero.* Óleo sobre lienzo, 54 x 45,4 cm.

331. REMBRANDT, Harmensz van Rijn (taller o seguidor de). *Retrato de Rembrandt van Rijn,* c. 1643. Óleo sobre tabla, 72 x 54,8 cm.

PINTURA HOLANDESA DEL SIGLO XVII. ESCENAS DE LA VIDA COTIDIANA, INTERIORES Y PAISAJES
SALA 22

73. BIJLERT, Jan Hermansz van (atribuido a). *Joven tocando un laúd,* c. 1625. Óleo sobre lienzo, 97,8 x 82,6 cm.

65. BROUWER, Adriaen (atribuido a). *Escena aldeana con hombres bebiendo,* c. 1631-1635. Óleo sobre tabla, 63 x 95,9 cm.

A 808. GOYEN, Jan van. *Escena en la playa,* 1646. Óleo sobre lienzo, 92,1 x 108,3 cm.

179. HALS, Frans. *Grupo familiar ante un paisaje,* c. 1645-1648. Óleo sobre lienzo, 202 x 285 cm.

178. HALS, Frans (atribuido a). *Pescador tocando el violín,* c. 1630. Óleo sobre lienzo, 86,4 x 70 cm.

193. HONDECOETER, Melchior. *Ave rapaz en un gallinero.* Óleo sobre lienzo, 122 x 139 cm.

194. HONTHORST, Gerrit van. *El violinista alegre,* c. 1624. Óleo sobre lienzo, 83 x 68 cm.

211. KONINCK, Philips Aertsz. *Vista panorámica con ciudad al fondo,* 1655. Óleo sobre lienzo, 83,4 x 127,5 cm.

SALA 23

154. GELDER, Aert de. *Cristo y la mujer adúltera,* 1683. Óleo sobre lienzo, 71,8 x 94 cm.

195. HOOCH, Pieter Hendricksz de. *Interior con una mujer cosiendo y un niño,* c. 1662-1668. Óleo sobre lienzo, 54,6 x 45,1 cm.

196. HOOCH, Pieter Hendricksz de. *La Sala del Concejo del Ayuntamiento de Amsterdam,* 1661-1670. Óleo sobre lienzo, 112,5 x 99 cm.

241. MAES, Nicolaes. *El tamborilero desobediente,* c. 1655. Óleo sobre lienzo, 62 x 66,4 cm.

285. METSU, Gabriel. *La cocinera,* c. 1657-1662. Óleo sobre lienzo, 40 x 33,7 cm.

298. NEEFFS I, Peeter. *Interior de una Iglesia,* 1615-1616. Óleo sobre tabla, 39,3 x 58,8 cm.

306. OSTADE, Adriaen van. *Interior de una taberna,* 1661. Óleo sobre tabla, 32,4 x 24,6 cm.

307. OSTADE, Isaak van. *Caminante a la puerta de una cabaña,* 1649. Óleo sobre tabla, 48,3 x 39,4 cm.

374. STEEN, Jan Havicksz (atribuido a). *Boda campesina,* c. 1653. Óleo sobre tabla, 62,4 x 49,3 cm.

386. TENIERS II, David. *Fiesta campesina,* c. 1650. Óleo sobre tabla, 45 x 75 cm.

387. TENIERS II, David. *Fumadores en un interior,* c. 1637. Óleo sobre tabla, 39,4 x 37,3 cm.

438. WITTE, Emanuel de. *El antiguo mercado del pescado en el Dam, Amsterdam,* c. 1650. Óleo sobre tabla, 55 x 44,8 cm.

439. WITTE, Emanuel de. *Interior de un Iglesia,* 166[9?]. Óleo sobre tabla, 52,1 x 40,2 cm.

SALA 24

329. BROUWER, Adriaen (seguidor de). *Fumador.* Óleo sobre tabla, 19,6 x 16,1 cm.

80. CAPPELLE, Jan van de. *Paisaje de invierno*. Óleo sobre tabla, 41 x 42,2 cm.

132. DOU, Gerrit. *Joven a la ventana con una vela*, c. 1658-1665. Óleo sobre tabla, 26,7 x 19,5 cm.

144. FLINCK, Govert (atribuido a). *Paisaje con una granja y un puente*, Década de 1640. Óleo sobre tabla, 40,7 x 53,5 cm.

222. LIEVENS, Jan. *Paisaje con el Descanso durante la Huida a Egipto*, c.1635. Óleo sobre tabla, 34,3 x 51,8 cm.

304. OCHTERVELT, Jacob Lucasz. *Comiendo ostras*, c. 1665-1669. Óleo sobre tabla, 47,6 x 37,7 cm.

326. POST, Frans Jansz. *Vista de las ruinas de Olinfa* (Recife), Brasil, 1665. Óleo sobre lienzo, 79,8 x 111,4 cm.

A 821. POTTER, Paulus. *Caballo tordo con paisaje al fondo*, 1649. Óleo sobre tabla, 27 x 25 cm.

371. SIBERECHTS, Jan. *El vado*, c. 1672. Óleo sobre lienzo, 63,5 x 55,4 cm.

373. STEEN, Jan Havicksz. *Autorretrato con laúd*, c. 1652-1665. Óleo sobre tabla, 55,3 x 43,8 cm.

A 826. STEEN, Jan Havicksz. *Escena de taberna*, después de 1661. Óleo sobre lienzo, 44,3 x 36,8 cm.

417. VELDE, Adriaen van de. *Escena pastoril*, 1663. Óleo sobre lienzo, 48,5 x 62,5 cm.

419. VERMEER II VAN HAARLEM. *Vista de Haarlem desde las dunas*, c. 1660-1670. Óleo sobre lienzo, 65,3 x 84 cm.

441. WOUWERMANS, Philips. *Caballo a la orilla de un río*, antes de 1646. Óleo sobre tabla, 28,7 x 22,7 cm.

A 829. WOUWERMANS, Philips. *Cetreros junto a una cabaña*, c. 1645-1650. Óleo sobre tabla, 41 x 58 cm.

SALA 25

A 800. BERCKHEYDE, Gerrit y HUCHTENBURG, Johan van? *El Ayuntamiento de Amsterdam desde el Dam*, c. 1673-1697. Óleo sobre lienzo, 53,6 x 63 cm.

42. BERCKHEYDE, Gerrit Adriaensz. *El Nieuwezijds Voorburgswal en Amsterdam*, 1686. Óleo sobre lienzo, 53,7 x 63,9 cm.

43. BERCKHEYDE, Gerrit Adriaensz. *El Binnenhof, La Haya*, c. 1690. Óleo sobre lienzo, 54,5 x 63,5 cm.

185. HEYDEN, Jan Jansz van der. *Cruce de caminos en un bosque*. Óleo sobre tabla, 44,5 x 55,5 cm.

A 816. HEYDEN, Jan Jansz van der. *Vista de la muralla de una ciudad*. Óleo sobre tabla, 29,5 X 34,6 cm.

187. HOBBEMA, Meindert Lubbertsz. *Charca en un bosque*, c. 1660. Óleo sobre lienzo, 68,9 x 90,2 cm.

299. NEER, Aert van der. *Claro de luna con un camino bordeando un canal*, c. 1647-1650. Óleo sobre tabla, 35,6 x 65,5 cm.

300. NEER, Aert van der. *Bosque con un río*, c. 1645. Óleo sobre tabla, 41,6 x 60,3 cm.

360. RUYSDAEL, Salomon Jacobsz van. *Un río con pescadores*, 1645. Óleo sobre tabla, 51,5 x 83,6 cm.

362. SAENREDAM, Pieter Jansz. *La fachada occidental de Santa María de Utrecht*, 1662. Óleo sobre tabla, 65,1 x 51,2 cm.

A 824. SAFTLEVEN, Herman. *Paisaje del Rin*, 1663. Óleo sobre cobre, 15 x 23,8 cm.

365. SAVERY, Roelandt. *Paisaje montañoso con un castillo*, 1609. Óleo sobre tabla, 45,6 x 63 cm.

370. SEGERS, Hercules. *Paisaje con hombres armados*, c.1625-1635. Óleo sobre lienzo, 36,5 x 54,3 cm.

437. WIJNANTS, Jan. *Castillo en un bosque*, 1667. Óleo sobre lienzo, 65,3 x 52 cm.

SALA 26

79. CAPPELLE, Jan van. *Marina con veleros*, después de 1652. Óleo sobre lienzo, 67,3 x 58 cm.

117. CUYP, Aelbert Jacobsz. *Paisaje con puesta de sol*, después de 1645. Óleo sobre tabla, 48,3 x 74,9 cm.

167. GOYEN, Jan Josephsz van. *Paisaje invernal con figuras en el hielo*, 1643. Óleo sobre tabla, 39,6 x 60,7 cm.

354. RUISDAEL, Jacob Isaacksz van. *Vista de Naarden*, 1647. Óleo sobre tabla, 34,8 x 67 cm.

357. RUISDAEL, Jacob Isaacksz van. *Camino entre campos de trigo cerca del Zuider Zee*, c. 1660-1662. Óleo sobre lienzo, 44,8 x 54,6 cm.

358. RUISDAEL, Jacob Isaacksz van. *Vista de un canal con edificios comerciales en invierno*, c. 1670. Óleo sobre lienzo, 65,8 x 96,7 cm.

359. RUISDAEL, Jacob Isaacksz van. *Mar tormentoso con barcos de vela*, c. 1668. Óleo sobre lienzo, 50,1 x 62,5 cm.

355. RUISDAEL, Jacob Isaacksz van (atribuido a). *Campos de blanqueo en el Bloemendael, cerca de Haarlem*. Óleo sobre lienzo, 34,5 x 42,3 cm.

356. RUISDAEL, Jacob Isaacksz van (atribuido a). *Vista de tierra adentro desde las dunas costeras*, c. 1670. Óleo sobre lienzo, 52,7 x 66,7 cm.

793. RUYSDAEL, Salomon Jacobsz van. *Vista de Alkmaar desde el mar*, c. 1650. Óleo sobre tabla, 36 x 32,5 cm.

418. VELDE II, Willem van de. *La flota holandesa cerca de Goeree*, c. 1672-1673. Óleo sobre lienzo, 69,5 x 97,8 cm.

A 828. VLIEGER, Simon de. *Tormenta en la costa*, c. 1645-1650. Óleo sobre tabla, 41,6 x 55,2 cm.

NATURALEZAS MUERTAS DEL SIGLO XVII

SALA 27

1. AELST, Willem van. *Bodegón con frutas*, 1664. Óleo sobre lienzo, 67,3 x 52,1 cm.

21. AST, Balthasar van der. *Vaso chino con flores*, 1628. Óleo sobre tabla, 51,6 x 33,1 cm.

56. BOSSCHAERT I, Ambrosius. *Vaso chino con flores*, 1607. Óleo sobre cobre, 68,6 x 50,8 cm.

118. CHARDIN, Jean Baptist Simeon. *Bodegón con cántaro y caldero de cobre*, c. 1728-1730. Óleo sobre lienzo, 32,4 x 39,2 cm.

150. FYT, Jan. *Jarrón con flores y un manojo de espárragos*, c. 1650. Óleo sobre lienzo, 63,7 x 75,4 cm.

180. HAMEN Y LEON, Juan van der. *Bodegón con loza y dulces*, c. 1627. Óleo sobre lienzo, 77 x 100 cm.

181. HEDA, Willem Claesz. *Bodegón con pastel de frutas y diversos objetos*, 1634. Óleo sobre tabla, 43,7 x 68,2 cm.

A 815. HEEM, Cornelis de. *Jarra de cristal con flores*, c. 1657-1660. Óleo sobre tabla, 47,3 X 35,6 cm.

182. HEEM, Jan Davidz de. *Vaso de cristal con flores*, c. 1665. Óleo sobre tabla, 53,4 x 41 cm.

202. KALF, Willem. *Bodegón con porcelanas y copa nautilo*, 1660. Óleo sobre lienzo, 64,1 x 55,9 cm.

203. KALF, Willem. *Bodegón con cuenco chino, copa nautilo y otros objetos*, 1662. Óleo sobre lienzo, 79,4 x 67,3 cm.

204. KALF, Willem. *Bodegón con aguamanil, frutas, copa nautilo y otros objetos*, c. 1660. Óleo sobre lienzo, 111 x 84 cm.

223. LINARD, Jacques. *Porcelana china con flores*, 1640. Óleo sobre lienzo, 53,2 x 66 cm.

413. TRECK, Jan Jansz (atribuido a). *Bodegón con vaso de vino, jarra de peltre y otros objetos*. Óleo sobre lienzo, 81,8 x 57,8 cm.

376. VELDE III, Jan Jansz van de (atribuido a). *Bodegón con fuente china, copa, cuchillo, panes y frutas*, c. 1650-1660. Óleo sobre lienzo, 44,7 x 38,8 cm.

PINTURA DEL SIGLO XVIII. DEL ROCOCÓ AL NEOCLASICISMO

SALA 28

58. BOUCHER, François. *La "toilette"*, 1742. Óleo sobre lienzo, 52,5 x 66,5 cm.

119. CHARDIN, Jean Baptist Simeon. *Bodegón con gato y pescado.("El ladrón con buena fortuna")*, 1728. Óleo sobre lienzo, 79,5 x 63 cm.

120. CHARDIN, Jean Baptist Simeon. *Bodegón con gato y raya. ("El gato goloso de ostras")*, c. 1728. Óleo sobre lienzo, 79,5 x 63 cm.

148. FRAGONARD, Jean-Honoré. *El columpio*. Óleo sobre lienzo, 120 x 94,5 cm.

A 805. FRAGONARD, Jean-Honoré. *Supuesto retrato de Mademoiselle Duthé*, c.1770. Óleo sobre lienzo, ∅ 53 cm.

153. GAINSBOROUGH, Thomas. *Retrato de Sara Buxton*, 1776-1777. Óleo sobre lienzo, 110 x 87 cm.

215. LANCRET, Nicolas. *El columpio*, c. 1735-1740. Óleo sobre lienzo, 65,5 x 54,5 cm.

216. LANCRET, Nicolas. *La tierra*. Óleo sobre lienzo, 38 x 31 cm.

217. LAWRENCE, Sir Thomas. *Retrato de David Lyon*, c. 1825. Óleo sobre lienzo, 217 x 132 cm.

219. LÉPICIÉ, Nicolas-Bernard. *El Patio de la Aduana*, 1775. Óleo sobre lienzo, 98 x 164 cm.

A 818. LIOTARD, Jean-Etienne. *Retrato de una mujer con traje maltés*. Pastel sobre papel, 82,5 x 53,5 cm.

279. MARÉES, Georges de. *Retrato de María Rosa Walburga von Soyer*, 1750. Óleo sobre lienzo, 88 x 68 cm.

280. MARÉES, Georges de. *Retrato de Franz Karl von Soyer*, 1750. Óleo sobre lienzo, 88 x 68 cm.

297. NATTIER, Jean-Marc. *Retrato de Madame Bouret como Diana*, 1745. Óleo sobre lienzo, 138 x 105 cm.

313. PATER, Jean-Baptiste-Joseph. *Concierto campestre*, 1734. Óleo sobre lienzo, 53 x 68,5 cm.

334. REYNOLDS, Sir Joshua. *Retrato de Frances, condesa de Dartmouth*, 1757. Óleo sobre lienzo, 127 x 102 cm.

342. ROBERT, Hubert. *La pasarela*, c. 1775. Óleo sobre lienzo, 59 x 47 cm.

343. ROBERT, Hubert. *Interior del templo de Diana en Nimes*, 1783. Óleo sobre lienzo, 101 x 143 cm.

409. TROY, Jean-François de. *Los desposorios de Jasón*. Óleo sobre lienzo, 82 x 56 cm.

420. VERNET, Claude Joseph. *Mar tempestuoso*, 1748. Óleo sobre lienzo, 44,5 x 60,5 cm.

421. VERNET, Claude Joseph. *Mar en calma*, 1748. Óleo sobre lienzo, 44,5 x 60,5 cm.

431. WATTEAU, Jean Antoine. *El descanso*, c. 1709. Óleo sobre lienzo, 32 x 42,5 cm.

432. WATTEAU, Jean Antoine. *Pierrot alegre*, c. 1712. Óleo sobre lienzo, 35 x 31 cm.

444. ZOFFANY, Johann. *Retrato de Ann Brown en el papel de Miranda*, c. 1770. Óleo sobre lienzo, 210 x 158,5 cm.

445. ZOFFANY, Johann. *Retrato de grupo con Sir Elijah y Lady Impey*, 1783-1784. Óleo sobre lienzo, 91,5 x 122 cm.

PINTURA NORTEAMERICANA DEL SIGLO XIX

SALA 29

A 884. BROWN, John George. *Una clientela dura*, 1881. Óleo sobre lienzo, 76 x 63,5 cm.

A 885. CHASE, William Merritt. *La actriz niña Elsie Leslie Lyde en el papel de pequeño Lord Fauntleroy*, 1889. Óleo sobre lienzo, 176,2 x 100,3 cm.

507. CHURCH, Frederic Edwin. *Otoño*, 1875. Óleo sobre lienzo, 39,4 x 61 cm.

508. CHURCH, Frederic Edwin. *Cruz en un paisaje agreste*, 1859. Óleo sobre lienzo, 41,3 x 61,5 cm.

509. CHURCH, Frederic Edwin. *Bote abandonado*, 1850. Óleo sobre cartón, 28 x 43,2 cm.

91. CLONNEY, James Goodwyn. *Pesca en el estrecho de Long Island a la altura de New Rochelle*, 1847. Óleo sobre lienzo, 66 x 92,7 cm.

95. COLE, Thomas. *Expulsión. Luna y luz de fuego*, c. 1828. Óleo sobre lienzo, 91,4 x 122 cm.

96. COLE, Thomas. *Cruz al atardecer*, c. 1848. Óleo sobre lienzo, 81,3 x 123,2 cm.

97. COPLEY, John Singleton. *Retrato de Catherine Hill, mujer de Joshua Henshaw II*, c. 1772. Óleo sobre lienzo, 77 x 56 cm.

98. COPLEY, John Singleton. *Retrato de Miriam Kilby, mujer de Samuel Hill*, c. 1764. Óleo sobre lienzo, 128,4 x 102 cm.

99. COPLEY, John Singleton. *Retrato del Juez Martin Howard*, 1767. Óleo sobre lienzo, 125,7 x 101 cm.

496. CROPSEY, Jasper Francis. *El lago de Greenwood*, 1870. Óleo sobre lienzo, 97 x 174 cm.

533. DURAND, Asher Brown. *Un arroyo en el bosque*, 1865. Óleo sobre lienzo, 101,6 x 81,9 cm.

577. HEADE, Martin Johnson. *Spouting Rock, Newport*, 1862. Óleo sobre lienzo, 63,5 x 127 cm.

601. INNESS, George. *Días de verano*, 1857. Óleo sobre lienzo, 103,5 x 143 cm.

612. KENSETT, John Frederick. *El lago George*, c. 1860. Óleo sobre lienzo, 55,8 x 86,4 cm.

635. LANE, Fitz Hugh. *El fuerte y la isla Ten Pound, Gloucester, Massachusetts*, 1847. Óleo sobre lienzo, 50,8 x 76,2 cm.

315. PEALE, Charles Wilson. *Retrato de Isabella y John Stewart*, c. 1775. Óleo sobre lienzo, 94 x 124 cm.

364. SALMON, Robert. *Vista de Greenock en Escocia*, 1816. Óleo sobre lienzo, 66,6 x 112,3 cm.

A 867. SALMON, Robert. *Imagen del yate "Dream"*, 1839. Óleo sobre tabla, 42 X 62,5 cm.

760. SILVA, Francis A. *Kingston Point, Río Hudson*, c. 1873. Óleo sobre lienzo, 51 x 91 cm.

383. STUART, Gilbert. *Supuesto retrato del cocinero de George Washington*. Óleo sobre lienzo, 76 x 63,5 cm.

SALA 30

468. BIERSTADT, Albert. *Atardecer en la pradera*, c. 1870. Óleo sobre lienzo, 81,3 x 123 cm.

A 832. BIERSTADT, Albert. *La Puerta Dorada*, 1900. Óleo sobre lienzo, 96,5 x 152,5 cm.

487. CATLIN, George. *Las cataratas de St. Anthony*, 1871. Óleo sobre cartón, 46 x 63,5 cm.

501. CHASE, William Merritt. *El quimono*, c. 1895. Óleo sobre lienzo, 89,5 x 115 cm.

502. CHASE, William Merritt. *Las colinas de Shinnecock*, 1893-1897. Óleo sobre tabla, 44,4 x 54,6 cm.

A 835. CHASE, William Merritt. *En el parque*, 1890-1891. Óleo sobre lienzo, 35,5 x 49 cm.

574. HARNETT, William M. *Objetos para un rato de ocio*, 1879. Óleo sobre lienzo, 38 x 51,5 cm.

588. HOMER, Winslow. *La señal de peligro*, 1890. Óleo sobre lienzo, 62 x 98 cm.

589. HOMER, Winslow. *Waverly Oaks*, 1864. Óleo sobre papel adherido a tabla, 33,6 x 25,4 cm.

591. HOMER, Winslow. *Retrato de Helena de Kay*, c. 1873. Óleo sobre tabla, 31 x 47 cm.

600. INNESS, George. *Mañana*, c. 1878. Óleo sobre lienzo, 76.2 x 114.3 cm.

646. LEWIS, Henry. *Las cataratas de Saint Anthony, Alto Mississippi*, 1847. Óleo sobre lienzo, 68,6 x 82,5 cm.

A 857. MORAN, Thomas. *Tierras yermas de Dakota*, 1901. Óleo sobre lienzo, 51 x 76 cm.

700. PETO, John Frederick. *"Tom's River"*, 1905. Óleo sobre lienzo, 50,8 x 40,6 cm.

701. PETO, John Frederick. *Navegación al atardecer*, c. 1890. Óleo sobre lienzo, 30,5 x 50,9 cm.

702. PETO, John Frederick. *Libros, jarra, pipa y violín*, c. 1880. Óleo sobre lienzo, 63,5 x 50,9 cm.

722. REMINGTON, Frederic. *Señal de fuego apache*, c. 1908. Óleo sobre lienzo, 102 x 68,5 cm.

725. ROBINSON, Theodore. *El viejo puente*, 1890. Óleo sobre lienzo, 63,5 x 81,2 cm.

731. SARGENT, John Singer. *Vendedora veneciana de cebollas*, c. 1880-1882. Óleo sobre lienzo, 95 x 70 cm.

732. SARGENT, John Singer. *Retrato de Millicent, duquesa de Sutherland*, 1904. Óleo sobre lienzo, 254 x 146 cm.

761. SLOAN, John. *Surtidor en Madison Square*, 1907. Óleo sobre lienzo, 66 x 81,5 cm.

784. WHISTLER, James Abbott McNeill. *Rosa y oro: la napolitana*, c. 1897. Óleo sobre lienzo, 50 x 31 cm.

785. WIMAR, Carl. *El rastro perdido*, c. 1856. Óleo sobre lienzo, 49,5 x 77,5 cm.

PINTURA EUROPEA DEL SIGLO XIX. DEL ROMANTICISMO AL REALISMO

SALA 31

470.a. BOECKLIN, Arnold. *Ninfa en una fuente*, 1855. Pastel y carboncillo sobre papel, 63 X 54 cm.

470.b. BOECKLIN, Arnold. *Pan persiguiendo a una Ninfa*, c. 1855. Pastel y carboncillo sobre papel, 63 X 54 cm.

A 804. CONSTABLE, John. *La esclusa*, 1824. Óleo sobre lienzo, 142,2 x 120,7 cm.

494. COROT, Jean-Baptiste-Camile. *La salida para el paseo en el Parque de los Leones en Port-Marly*, c. 1872. Óleo sobre lienzo, 78 x 65 cm.

495. COURBET, Gustave. *El arroyo de Brème*, 1866. Óleo sobre lienzo, 114 x 89 cm.

A 836. COURBET, Gustave. *La playa de Saint-Aubin-sur-Mer*, 1867. Óleo sobre lienzo, 54 x 65 cm.

126. DELACROIX, Eugène. *Jinete árabe*, c.1854. Óleo sobre lienzo, 35 x 26,5 cm.

127. DELACROIX, Eugène. *El Duque de Orleans mostrando a su amante*, c.1825-1826. Óleo sobre lienzo, 35 x 25,5 cm.

541. FANTIN-LATOUR, Henri. *Crisantemos en un florero*, 1875. Óleo sobre lienzo, 42,5 x 39,5 cm.

792. FRIEDRICH, Caspar David. *Mañana de Pascua*, 1833. Óleo sobre lienzo, 43,7 x 34,4 cm.

A 806. GAERTNER, Eduard. *Berlín, una vista de la Opernplatz, con la Ópera y la calle Unter den Linden*, 1845. Óleo sobre lienzo, 42 x 78 cm.

157. GÉRICAULT, Jean-Louis-Theodore. *Un episodio de la carrera libre de caballos*, 1816-1817. Óleo sobre papel adherido a lienzo, 44 x 59 cm.

164. GOYA Y LUCIENTES, Francisco José de. *Fernando VII*, 1814-1815. Óleo sobre lienzo, 84 x 63,5 cm.

165. GOYA Y LUCIENTES, Francisco José de. *El tío paquete*, c. 1819-1820. Óleo sobre lienzo, 39 x 31 cm.

166. GOYA Y LUCIENTES, Francisco José de. *Asensio Julià*, c.1798. Óleo sobre lienzo, 54,5 x 41 cm.

A 844. GUILLAUMIN, Armand. *Bodegón*, 1869. Óleo sobre lienzo, 50 x 61 cm.

177. HACKERT, Jacob-Philippe. *Paisaje con el Palacio de Caserta y el Vesubio*, 1793. Óleo sobre lienzo, 93 x 130 cm.

604. JONGKIND, Johann Barthold. *Vista del puerto en Rotterdam*, 1856. Óleo sobre lienzo, 43 x 56 cm.

A 851. JONGKIND, Johann Barthold. *Paisaje de Isère*, 1869. Óleo sobre lienzo, 41,5 x 65 cm.

205. KAUFFMANN, Angelica. *Retrato de una mujer como Vestal*. Óleo sobre lienzo, 60 x 41 cm.

685. MOREAU, Gustave. *Galatea*, 1896. Óleo y temple sobre cartón, 45 x 34 cm.

292. MORGENSTERN, Christian. *Arboles junto al agua*, 1832. Óleo sobre lienzo, 71 x 100,5 cm.

429. WALDMUELLER, Ferdinand Georg. *Bad Ischl*, 1833. Óleo sobre tabla, 31,5 x 26,5 cm.

430. WALDMUELLER, Ferdinand Georg. *El Shönberg visto desde Hoisernradalpe*, 1833. Óleo sobre tabla, 31 x 25,7 cm.

PINTURA IMPRESIONISTA Y POSTIMPRESIONISTA

SALA 32

476. BOUDIN, Eugène. *La plaza de la Iglesia de Saint Vulfran en Abbeville*, 1884. Óleo sobre tabla, 44,5 x 37 cm.

A 833. BOUDIN, Eugène. *Figuras en la playa de Trouville*, 1869. Óleo sobre lienzo, 29 x 47 cm.

A 834. BOUDIN, Eugène. *Calle de Abbeville con la Iglesia de Saint Vulfran al fondo*, 1894. Óleo sobre tabla, 44,5 x 37,5 cm.

A 845. GUILLAUMIN, Armand. *Camino a Damiette*, 1885. Óleo sobre lienzo, 65 x 81 cm.

659. MANET, Edouard. *Amazona de frente*, c. 1882. Óleo sobre lienzo, 73 x 52 cm.

680. MONET, Claude. *El deshielo en Vétheuil*, 1881. Óleo sobre lienzo, 60 x 100 cm.

A 856. MONET, Claude. *La cabaña en Trouville; marea baja*, 1881. Óleo sobre lienzo, 60 x 73,5 cm.

686. MORISOT, Berthe. *El espejo de vestir*, 1876. Óleo sobre lienzo, 65 x 54 cm.

711. PISSARRO, Camille. *El bosque de Marly*, 1871. Óleo sobre lienzo, 45 x 55 cm.

712. PISSARRO, Camille. *La calle Saint-Honoré después del mediodía. Efecto de lluvia*, 1897. Óleo sobre lienzo, 81 x 65 cm.

A 861. PISSARRO, Camille. *Claro de bosque en Eragny*, 1872. Óleo sobre lienzo, 74 x 92 cm.

724. RENOIR, Pierre-Auguste. *Mujer con sombrilla en un jardín*, c. 1873. Óleo sobre lienzo, 54,5 x 65 cm.

A 864. RENOIR, Pierre-Auguste. *Muchacha sentada en un interior*, 1879-1880. Pastel sobre papel, 61,5 x 46 cm.

A 865. RENOIR, Pierre-Auguste. *Campo de trigo*, 1879. Óleo sobre lienzo, 50,5 x 61 cm.

A 869. SISLEY, Alfred. *La inundación en Port-Marly*, 1876. Óleo sobre lienzo, 50 x 61 cm.

SALA 33

473. BONNARD, Pierre. *Retrato de Misia Godevska*, 1908. Óleo sobre lienzo, 145 x 114 cm.

488. CEZANNE, Paul. *Retrato de un campesino*, 1901-1906. Óleo sobre lienzo, 65 x 54 cm.

515. DEGAS, Edgar. *Bailarina basculando*, 1877-1879. Pastel sobre papel, 66 x 36 cm.

516. DEGAS, Edgar. *En la modista*, c. 1883. Pastel sobre papel, 75,9 x 84,8 cm.

A 838. DEGAS, Edgar. *Caballos de carreras: el entrenamiento*, 1894. Pastel sobre papel, 47,9 x 62,9 cm.

552. GAUGUIN, Paul. *Hombre en la carretera (Ruán)*, 1884. Óleo sobre lienzo, 73 x 92 cm.

A 842. GAUGUIN, Paul. *Mata Mua (Erase una vez)*, 1892. Óleo sobre lienzo, 91 x 69 cm.

557. GOGH, Vincent van. *Los Descargadores en Arles*, 1888. Óleo sobre lienzo, 54 x 65 cm.

559. GOGH, Vincent van. *"Les Vessenots" en Auvers*, 1890. Óleo sobre lienzo, 55 x 65 cm.

788. GOGH, Vincent van. *Paisaje al atardecer*, 1885. Óleo sobre lienzo montado sobre cartón, 35 x 43 cm.

759. SICKERT, Walter Richard. *Giuseppina la Bague*, 1903-1904. Óleo sobre lienzo, 45,7 x 38,2 cm.

773. TOULOUSE-LAUTREC, Henri de. *Gaston Bonnefoy*, 1891. Óleo sobre cartón, 71 x 37 cm.

774. TOULOUSE-LAUTREC, Henri de. *La pelirroja con blusa blanca*, 1889. Óleo sobre lienzo, 59,5 x 48,2 cm.

PINTURA FAUVE

SALA 34

524. DERAIN, André. *El puente de Waterloo*, 1906. Óleo sobre lienzo, 80,5 x 101 cm.

A 839. DUFY, Raoul. *La pequeña palmera*, 1905. Óleo sobre lienzo, 91 x 79 cm.

A 848. HODLER, Ferdinand. *Adolescente en Bergbach*, 1901. Óleo sobre lienzo, 34 x 28 cm.

A 862. PRENDERGAST, Maurice. *Otoño*, 1910-1912. Óleo sobre lienzo, 49 x 62 cm.

A 887. PRENDERGAST, Maurice. *Bodegón con manzanas*, 1913-1915. Óleo sobre lienzo, 38 x 45,7 cm.

A 883. VLAMINCK, Maurice. *Los Olivos,* 1905-1906. Óleo sobre lienzo, 53,5 x 65 cm.

PINTURA EXPRESIONISTA

SALA 35

534. ENSOR, James. *El teatro de máscaras,* 1908. Óleo sobre lienzo, 72 x 86 cm.

629. KOKOSCHKA, Oskar. *Retrato de Max Schmidt,* 1914. Óleo sobre lienzo, 90 x 57,5 cm.

664. MATISSE, Henri. *Las flores amarillas,* 1902. Óleo sobre lienzo, 46 x 54,5 cm.

689. MUNCH, Edvard. *Atardecer. Laura, la hermana del artista,* 1888. Óleo sobre lienzo, 75 x 100,5 cm.

693. NOLDE, Emil. *Sendero de jardín,* 1906. Óleo sobre lienzo, 52,4 x 55,8 cm.

739. SCHIELE, Egon. *Casas junto al río. La ciudad vieja,* 1914. Óleo sobre lienzo, 100 x 120,5 cm.

SALA 36

579. HECKEL, Erich. *La fábrica de ladrillos, Dangast,* 1907. Óleo sobre lienzo, 68 x 86 cm.

A 847. HECKEL, Erich. *Casa en Dangast (Casa Blanca),* 1908. Óleo sobre lienzo, 71 x 81 cm.

A 853. KIRCHNER, Ernst Ludwig. *Mina de arcilla,* c. 1906. Óleo sobre cartón, 51 x 71 cm.

A 854.a. KIRCHNER, Ernst Ludwig. *Mujer junto a un bosquecillo de abedules,* c. 1907. Óleo sobre lienzo, 68,5 x 78 cm.

A 860. PECHSTEIN, Max. *Mercado de caballos,* 1910. Óleo sobre lienzo, 70 x 81 cm.

742. SCHMIDT-ROTTLUFF, Karl. *Paisaje de otoño en Oldenburg,* 1907. Óleo sobre lienzo, 76 x 97,5 cm.

A 871. SCHMIDT-ROTTLUFF, Karl. *La casita,* 1906. Óleo sobre cartón, 49,5 x 66,5 cm.

SALA 37

A 846.b. HECKEL, Erich. *El columpio,* 1910-1915. Óleo sobre lienzo, 70 x 60 cm.

613. KIRCHNER, Ernst Ludwig. *Doris con cuello alto,* c. 1906. Óleo sobre cartón, 70,5 x 51 cm.

615.a. KIRCHNER, Ernst Ludwig. *Desnudo de rodillas ante un biombo rojo,* c. 1911-1912. Óleo sobre lienzo, 75 x 56 cm.

616. KIRCHNER, Ernst Ludwig. *Cocina alpina,* 1918. Óleo sobre lienzo, 121,5 x 121,5 cm.

618. KIRCHNER, Ernst Ludwig. *La cala.,* c. 1914. Óleo sobre lienzo, 146 x 123 cm.

789. KIRCHNER, Ernst Ludwig. *Fränzi ante una silla tallada,* 1910. Óleo sobre lienzo, 71 x 49,5 cm.

687. MUELLER, Otto. *Dos mujeres sentadas en las dunas,* c. 1922. Óleo sobre arpillera, 100 x 138 cm.

690. NOLDE, Emil. *Atardecer de otoño,* 1924. Óleo sobre lienzo, 73 x 100,5 cm.

691. NOLDE, Emil. *Nubes de verano,* 1913. Óleo sobre lienzo, 73,3 x 88,5 cm.

692. NOLDE, Emil. *Girasoles,* 1936. Óleo sobre lienzo, 88,5 x 67,3 cm.

699. PECHSTEIN, Max. *Verano en Nidden,* 1919 o 1920. Óleo sobre lienzo, 81,3 x 101 cm.

A 870. SCHMIDT-ROTTLUFF, Karl. *Sol sobre un pinar,* 1913. Óleo sobre lienzo, 77 x 90,5 cm.

SALA 38

485. BURLIUK, David. *Paisaje,* 1912. Óleo sobre lienzo, 33 x 46,3 cm.

543. FEININGER, Lyonel. *La dama de malva,* 1922. Óleo sobre lienzo, 100,5 x 80,5 cm.

544. FEININGER, Lyonel. *Barcos,* 1917. Óleo sobre lienzo, 71 x 85,5 cm.

545. FEININGER, Lyonel. *Arquitectura II (El hombre de Potin),* 1921. Óleo sobre lienzo, 101 X 80,5 cm.

A 840. FEININGER, Lyonel. *El hombre blanco,* 1907. Óleo sobre lienzo, 68,3 x 52,3 cm.

602. ITTEN, Johannes, *Grupo de casas en primavera,* 1916. Óleo sobre lienzo, 90 x 75 cm.

611. KANDINSKY, Wassily. *Johannisstrasse, Murnau,* 1908. Óleo sobre cartón, 70 x 48,5 cm.

A 852. KANDINSKY, Wassily. *Ludwigskirche en Munich,* 1908. Óleo sobre cartón, 67,3 x 96 cm.

655. MACKE, August. *Húsares al galope,* 1913. Óleo sobre lienzo, 37,5 x 56,1 cm.

656. MACKE, August. *Circo,* 1913. Óleo sobre cartón, 47 x 63,5 cm.

660. MARC, Franz. *El sueño,* 1912. Óleo sobre lienzo, 100,5 x 135,5 cm.

688. MUENTER, Gabriele. *Autorretrato,* c. 1908. Óleo sobre cartón, 49 x 33,6 cm.

SALA 39

463. BECKMANN, Max. *Bodegón con rosas amarillas,* 1937. Óleo sobre lienzo, 110,5 x 65,5 cm.

464. BECKMANN, Max. *Quappi de rosa,* 1932-1935. Óleo sobre lienzo, 105 x 73 cm.

465. BECKMANN, Max. *Autorretrato con la mano levantada,* 1908. Óleo sobre lienzo, 55 x 45 cm.

A 831. BECKMANN, Max. *Artistas,* 1948. Óleo sobre lienzo, 165 x 88,5 cm.

603. JAWLENSKY, Alexej von. *EL velo rojo,* 1912. Óleo sobre cartón, 64,5 x 54 cm.

A 850. JAWLENSKY, Alexej von. *Niño con muñeca,* 1910. Óleo sobre cartón, 61 x 50,5 cm.

637. LARIONOV, Michail. *El panadero,* 1909. Óleo sobre lienzo, 107 x 102 cm.

638. LARIONOV, Michail. *El desnudo azul,* 1903. Óleo sobre lienzo, 73 x 116 cm.

SALA 40

525. DIX, Otto. *Hugo Erfurth con un perro,* 1926. Temple y óleo sobre tabla, 80 x 100 cm.

569. GROSZ, George. *Metrópolis,* 1916-1917. Óleo sobre lienzo, 100 x 102 cm.

572. GROSZ, George. *Escena callejera (Kurfürstendamm),* 1925. Óleo sobre lienzo, 81,3 x 61,3 cm.

582. HENRICH, Albert. *Retrato del pintor A. M. Tränkler,* 1926. Óleo sobre lienzo, 81 x 62 cm.

596. HUBBUCH, Karl. *Doble retrato de Hilde II,* c. 1929. Óleo sobre lienzo adherido a tabla, 150 x 77 cm.

614. KIRCHNER, Ernst Ludwig. *Escena callejera berlinesa,* 1914-1925. Óleo sobre lienzo, 125 x 90,5 cm.

671. MEIDNER, Ludwig. *La casa de la esquina (La villa Kochmann en Dresde),* 1913. Óleo sobre lienzo adherido a tabla, 97,2 x 78 cm.

733. SCHAD, Christian. *Retrato del Dr. Haustein,* 1928. Óleo sobre lienzo, 80,5 x 55 cm.

734. SCHAD, Christian. *María y Annunziata del puerto,* 1923. Óleo sobre lienzo, 67,5 x 55,5 cm.

741. SCHLICHTER, Rudolf. *Periodista oriental,* c. 1923-1924. Óleo sobre lienzo, 73,5 x 50,5 cm.

ZONA DE DESCANSO

A 872. TOULOUSE-LAUTREC, Henri de. *En el Moulin Rouge: La Goulue y la Môme Fromage,* 1892. Litografía en color, 45,5 x 34,7 cm.

A 873. TOULOUSE-LAUTREC, Henri de. *El inglés en el Moulin Rouge,* 1892. Litografía en color, 52,5 x 37,2 cm.

A 874. TOULOUSE-LAUTREC, Henri de. *El Jockey,* 1899. Litografía en color, 51,5 x 36,2 cm.

A 875. TOULOUSE-LAUTREC, Henri de. *Mademoiselle Marcelle Lender de pie,* 1895. Litografía en color, 36 x 24,7 cm.

A 876. TOULOUSE-LAUTREC, Henri de. *La mujer payaso sentada (Mlle. Cha-u-Kao),* 1896. Litografía en color, 52 x 40,5 cm.

A 877. TOULOUSE-LAUTREC, Henri de. *La mujer payaso en el Moulin Rouge (Mlle. Cha-u-Kao),* 1897. Litografía en color, 41,2 x 32,3 cm.

A 878. TOULOUSE-LAUTREC, Henri de. *El baile en el Moulin Rouge,* 1897. Litografía en color, 45,5 x 36 cm.

A 879. TOULOUSE-LAUTREC, Henri de. *El gran palco,* 1897. Litografía en color, 51 x 41 cm.

A 880. TOULOUSE-LAUTREC, Henri de. *El inglés en el Moulin Rouge,* 1892. Litografía en color, 48 x 37,8 cm.

A 881. TOULOUSE-LAUTREC, Henri de. *Elsa la vienesa,* 1897. Litografía en color, 58 x 39,5 cm.

LAS VANGUARDIAS EXPERIMENTALES

SALA 41

459. BALLA, Giacomo. *Manifestación patriótica,* 1915. Temple sobre lienzo, 100 x 136,5 cm.

517. DELAUNAY, Robert. *Mujer con sombrilla. La parisina,* 1913. Óleo sobre lienzo, 122 x 85,5 cm.

518. DELAUNAY-TERK, Sonia. *Contrastes simultáneos,* 1913. Óleo sobre lienzo, 55 x 46 cm.

519. DELAUNAY-TERK, Sonia. *Vestidos simultáneos. (Las tres mujeres),* 1925. Óleo sobre lienzo, 146 x 114 cm.

526. DOESBURG, Theo van. *Bodegón. Composición,* 1916. Óleo sobre lienzo, 45 x 32 cm.

540. EXTER, Alexandra. *Bodegón con botella y copa,* 1912. Collage y óleo sobre lienzo, 68 x 53 cm.

555. GLEIZES, Albert. *En el puerto,* 1917. Óleo y arena sobre tabla, 153 x 120 cm.

562. GONTCHAROVA, Natalia. *Paisaje rayonista. El bosque,* 1913. Óleo sobre lienzo, 130 x 97 cm.

583. HERBIN, Auguste. *Composición cubista,* 1918. Óleo sobre lienzo, 60 x 37,5 cm.

633. KUPKA, Frantisek. *La taladradora,* 1925. Óleo sobre lienzo, 73 x 85 cm.

634. KUPKA, Frantisek. *Localización de móviles gráficos,* 1912-1913. Óleo sobre lienzo, 200 x 194 cm.

790. KUPKA, Frantisek. *Estudio para el lenguaje de las verticales,* 1911. Óleo sobre lienzo, 78 x 63 cm.

636. LARIONOV, Michail. *Calle con farolas,* 1910. Óleo sobre arpillera, 35 x 50 cm.

639. LARIONOV, Michail. *Bodegón con botella y cortinas,* c. 1914. Óleo sobre lienzo, 41 x 29 cm.

715. POPOVA, Liubov. *Bodegón. Instrumentos,* 1915. Óleo sobre lienzo, 105,5 x 69,2 cm.

730. ROZANOVA, Olga. *Hombre en la calle (Análisis de volúmenes),* 1913. Óleo sobre lienzo, 83 x 61,5 cm.

752. SEVERINI, Gino. *Expansión de la luz,* 1912. Óleo sobre lienzo, 68,5 x 43,2 cm.

776. UDALZOVA, Nadeshda. *Cubismo,* 1914. Óleo sobre lienzo, 72 x 60 cm.

SALA 42

453. ANNENKOV, Yuri. *La catedral de Amiens,* 1919. Collage, madera, cartón y alambre sobre papel, 71 x 52 cm.

481. BRUCE, Patrick Henry. *Pintura. Bodegón,* c. 1923-1924. Óleo y lápiz sobre lienzo, 63,5 x 81,3 cm.

575. HARTLEY, Marsden. *Tema musical nº2 (Preludios y fugas de Bach),* 1912. Óleo sobre lienzo montado sobre masonite, 61 x 50,8 cm.

642. LECK, Bart van der. *Leñador,* 1927. Óleo sobre lienzo, 70,5 x 59 cm.

780. WADSWORTH, Edward. *Abstracción vorticista,* 1915. Óleo sobre lienzo, 76,3 x 63,5 cm.

782. WEBER, Max. *Estación terminal "Grand Central",* 1915. Óleo sobre lienzo, 152,5 x 101,6 cm.

SALA 43

506. CHASHNIK, Ilya. *Composición suprematista,* 1923. Óleo sobre lienzo, 183,5 x 112 cm.

528. DOESBURG, Theo van. *Composición,* 1919-1920. Óleo sobre lienzo, 92 x 71 cm.

599. HUSZAR, Vilmos. *Composición,* 1920-1922. Óleo sobre cartón, 84,2 x 61,4 cm.

625. KLIUN, Ivan Wasilewitsch. *Composición,* 1917. Óleo sobre lienzo, 88 x 69 cm.

641. LECK, Bart van der. *Paisaje montañoso en Argelia con un poblado,* 1917. Gouache sobre papel vegetal, 100 x 154 cm.

651. LISSITZKY, Eliezer. *Proun 4 B,* 1919-1920. Óleo sobre lienzo, 70 x 55,5 cm.

652. LISSITZKY, Eliezer. *Proun 1 C,* 1919. Óleo sobre tabla, 68 x 68 cm.

675. MOHOLY-NAGY, László. *Gran pintura del ferrocarril,* 1920. Óleo sobre lienzo, 100 x 77 cm.

676. MOHOLY-NAGY, László. *Segmentos de círculo,* 1921. Temple sobre lienzo, 78 x 60 cm.

677. MONDRIAN, Piet. *Composición I,* 1931. Óleo sobre lienzo, 50 x 50 cm.

679. MONDRIAN, Piet. *New York City, New York,* c. 1942. Óleo, lápiz, carboncillo y cinta adhesiva sobre lienzo, 117 x 110 cm.

714. POPOVA, Liubov. *Arquitectura pictórica,* 1918. Óleo sobre lienzo, 45 x 53 cm.

716. POPOVA, Liubov. *Composición arquitectónica,* c. 1917. Óleo sobre arpillera, 70,5 x 70,5 cm.

745. SCHWITTERS, Kurt. *Composición de 8 lados,* 1930. Óleo sobre tabla, 91 x 90 cm.

746. SCHWITTERS, Kurt. *Merzbild 1A (El psiquiatra),* 1919. Técnica mixta y montaje sobre lienzo, 48,5 x 38,5 cm.

747. SCHWITTERS, Kurt. *Merzbild Kijkduin,* 1923. Técnica mixta sobre tabla, 74,3 x 60,3 cm.

748. SCHWITTERS, Kurt. *Merz 1925, 1. Relieve en cuadrado azul,* 1925. Técnica mixta sobre tabla, 49,5 x 50,2 cm.

767. SUETIN, Nikolai. *Suprematismo,* 1920-1921. Óleo sobre lienzo, 53 x 70,5 cm.

778. VORDEMBERGE-GILDEWART, Friedrich. *Composición nº 104. Blanco sobre blanco,* 1936. Óleo sobre lienzo, 60 x 60 cm.

SALA 44

478. BRAQUE, Georges. *Mujer con mandolina,* 1910. Óleo sobre lienzo, 80,5 x 54 cm.

479. BRAQUE, Georges. *El parque de Carrières-Saint-Denis,* 1908-1909. Óleo sobre lienzo, 40,6 x 45,3 cm.

565. GRIS, Juan. *Bodegón,* 1911. Carboncillo sobre papel de seda, 74 x 43 cm.

566. GRIS, Juan. *Botella y frutero,* 1919. Óleo sobre lienzo, 74 x 54 cm.

567. GRIS, Juan. *El fumador,* 1913. Óleo sobre lienzo, 73 x 54 cm.

A 843. GRIS, Juan. *Mujer sentada,* 1917. Óleo sobre tabla, 116 x 73 cm.

645. LEGER, Fernand. *La escalera (Segundo estado),* 1914. Óleo sobre lienzo, 88 x 124,5 cm.

678. MONDRIAN, Piet. *Composición en gris/azul,* 1912-1913. Óleo sobre lienzo, 79,5 x 63,5 cm.

705. PICASSO, Pablo Ruiz. *Cabeza,* c. 1906-1907. Gouache sobre papel marrón, 31 x 24,5 cm.

707. PICASSO, Pablo Ruiz. *Cabeza de hombre,* 1913-1914. Óleo sobre lienzo, 65 x 46 cm.

708. PICASSO, Pablo Ruiz. *Bodegón con vasos y frutas,* 1908. Óleo sobre lienzo, 27 x 21,6 cm.

710. PICASSO, Pablo Ruiz. *Hombre con clarinete,* 1911-1912. Óleo sobre lienzo, 106 x 69 cm.

LA SÍNTESIS DE LA MODERNIDAD EN EUROPA Y EE .UU.

SALA 45

480. BRAQUE, Georges. *El mantel rosa,* 1938. Óleo y arena sobre lienzo, 87,5 x 106 cm.

497. CHAGALL, Marc. *La Virgen de la aldea,* 1938-1942. Óleo sobre lienzo, 102,5 x 98 cm.

499. CHAGALL, Marc. *El gallo,* 1929. Óleo sobre lienzo, 81 x 65,5 cm.

500. CHAGALL, Marc. *La casa gris,* 1917. Óleo sobre lienzo, 68 x 74 cm.

537. ERNST, Max. *33 muchachas en busca de una mariposa blanca,* 1958. Óleo sobre lienzo, 137 x 107 cm.

538. ERNST, Max. *Sin título. (Dada),* c. 1922. Óleo sobre lienzo, 43,2 x 31,5 cm.

547. FONTANA, Lucio. *Venecia era toda de oro,* 1961. Acrílico sobre lienzo, 149 x 149 cm. *Obra expuesta en Patio Central.

606. KANDINSKY, Wassily. *Alrededor de la línea,* 1943. Óleo sobre cartón, 42 x 57,8 cm.

608. KANDINSKY, Wassily. *En el óvalo claro,* 1925. Óleo sobre cartón, 73 x 59 cm.

609. KANDINSKY, Wassily. *Pintura con tres manchas. Nº 196,* 1914. Óleo sobre lienzo, 121 x 111 cm.

623. KLEE, Paul. *Omega 5. (Attrappen),* 1927. Óleo y acuarela sobre lienzo pegado a cartón, 57,3 x 43 cm.

624. KLEE, Paul. *Casa giratoria,* 1921. Óleo y gouache sobre estopilla adherida a papel, 37,7 x 52,2 cm.

643. LEGER, Fernand. *Composición. El disco,* 1918. Óleo sobre lienzo, 65 x 54 cm.

644. LEGER, Fernand. *La terraza,* 1922. Gouache sobre papel, 23 x 31 cm.

A 855. LEGER, Fernand. *El puente,* 1923. Óleo sobre lienzo, 92 x 60 cm.

672. MIRO, Joan. *Campesino catalán con guitarra,* 1924. Óleo sobre lienzo, 148 x 114 cm.

673. MIRO, Joan. *Pintura sobre fondo blanco,* 1927. Óleo sobre lienzo, 55 x 46 cm.

674. MIRO, Joan. *El pájaro relámpago cegado por el fuego de la Luna,* 1955. Óleo sobre cartón, 25 x 20 cm.

A 886. MIRO, Joan. *Composición 1926,* 1926. Óleo sobre lienzo, 72,5 x 92 cm.

706. PICASSO, Pablo Ruiz. *Corrida de toros,* 1934. Óleo sobre lienzo, 54 x 73 cm.

709. PICASSO, Pablo Ruiz. *Arlequín con espejo,* 1923. Óleo sobre lienzo, 100 x 81 cm.

764. STAEL, Nicolas de. *Composición gris,* 1948. Óleo sobre lienzo, 150 x 75 cm.

ESCULTURAS

S 58. GIACOMETTI, Alberto. *El claro,* 1950. Bronce, Alto: 59,5 cm.

S 59. MOORE, Henry. *Figura reclinada,* 1954. Bronce, Alto: 58,5 cm.

SALA 46

450. ALBERS, Josef. *Casablanca B,* 1947-1954. Óleo sobre cartón, 41,3 x 60,7 cm.

563. GORKY, Arshile. *Abrazo / (Good Hope Road II) / (Pastoral),* 1945. Óleo sobre lienzo, 64,7 x 82,7 cm.

564. GORKY, Arshile. *Ultima pintura (El monje negro)*, 1948. Óleo sobre lienzo, 78,6 x 101,5 cm.

587. HOFMANN, Hans. *Sin título (Serie Renata)*, 1965. Óleo sobre lienzo, 121,9 x 91,4 cm.

630. KOONING, Willem de. *Abstracción*, 1949-1950. Técnica mixta sobre tablero contrachapado, 37 x 46,5 cm.

631. KOONING, Willem de. *Hombre rojo con bigote*, 1971. Óleo sobre papel montado sobre lienzo, 186 x 91,5 cm.

653. LOUIS, Morris. *Columnas de Hércules*, 1960. Acrílico sobre lienzo, 231,1 x 267,3 cm.

670. MATTA, Roberto Sebastian Antonio. *Composición*, 1939. Óleo sobre lienzo, 30,5 x 40,5 cm.

695. O'KEEFFE, Georgia. *Abstracción*, 1920. Óleo sobre lienzo, 71 x 61 cm.

697. O'KEEFFE, Georgia. *Lirio blanco nº 7*, 1957. Óleo sobre lienzo, 76,2 x 102 cm.

A 859. O'KEEFFE, Georgia. *Nueva York con luna*, 1925. Óleo sobre lienzo, 122 x 77 cm.

713. POLLOCK, Jackson. *Marrón y plata I*, c. 1951. Esmalte y pintura plateada sobre lienzo, 145 x 101 cm.

729. ROTHKO, Mark. *Verde sobre morado*, 1961. Técnica mixta sobre lienzo, 258 x 229 cm.

765. STELLA, Frank. *Sin título*, 1966. Alkyd sobre lienzo, 91,5 x 91,5 cm. *Obra expuesta en Patio Central.

766. STILL, Clyfford. *Sin título*, 1965. Óleo sobre lienzo, 254 x 176,5 cm.

771. TOBEY, Mark. *Ritmos de la tierra*, 1961. Gouache sobre cartón, 67 x 49 cm.

SURREALISMO, TRADICIÓN FIGURATIVA Y POP ART

SALA 47

455. AUERBACH, Frank. *Cabeza de J.Y.M.*, 1978. Óleo sobre lienzo, 61 x 66 cm.

460. BALTHUS (Balthasar Klossowsky de ROLA). *La partida de naipes*, 1948-1950. Óleo sobre lienzo, 140 x 194 cm.

A 837. CRAWFORD, Ralston. *Autopista sobre el mar*, 1939. Óleo sobre lienzo, 45,7 x 76,2 cm.

510. DALÍ, Salvador. *Sueño causado por el vuelo de una abeja alrededor de una granada, un segundo antes del despertar*, 1944. Óleo sobre tabla, 51 x 41 cm.

511. DALÍ, Salvador. *Gradiva encuentra las ruinas de Antropomorphos*, 1931. Óleo sobre lienzo, 65 x 54 cm.

520. DELVAUX, Paul. *Mujer ante el espejo*, 1936. Óleo sobre lienzo, 71 x 91,5 cm.

535. ERNST, Max. *Arbol solitario y árboles conyugales*, 1940. Óleo sobre lienzo, 81,5 x 100,5 cm.

546. FILONOV, Pavel Nikolaevitch. *Sin título*, 1927. Óleo sobre lienzo, 236,5 x 153 cm.

551. FREUD, Lucian. *Retrato del Barón H.H. Thyssen-Bornemisza*, 1981-1982. Óleo sobre lienzo, 51 x 40 cm.

554. GIACOMETTI, Alberto. *Retrato de mujer*, 1965. Óleo sobre lienzo, 86 x 65 cm.

594. HOPPER, Edward. *Habitación de hotel*, 1931. Óleo sobre lienzo, 152,4 x 165,7 cm.

595. HOPPER, Edward. *Muchacha cosiendo a máquina*, 1921-1922. Óleo sobre lienzo, 48,3 x 46 cm.

A 849. HOPPER, Edward. *El "Martha Mckeen" de Wellfleet*, 1944. Óleo sobre lienzo, 81,5 x 127,5 cm.

632. KOSSOFF, Leon. *Taquillas de metro. Estación Kilburn nº 1*, 1976. Óleo sobre cartón, 45,7 x 38,1 cm.

657. MAGRITTE, Rene. *La llave de los campos*, 1936. Óleo sobre lienzo, 80 x 60 cm.

754. SHAHN, Ben. *Orquesta de cuatro instrumentos*, 1944. Temple sobre masonite, 45,7 x 60,1 cm.

756. SHAHN, Ben. *Parque de atracciones*, 1946. Temple sobre masonite, 56 x 75,5 cm.

757. SHEELER, Charles. *Cañones*, 1951. Óleo sobre lienzo, 63,5 x 56 cm.

768. TANGUY, Yves. *Números imaginarios*, 1954. Óleo sobre lienzo, 99 x 80 cm.

769. TANGUY, Yves. *Composición (Muerto acechando a su familia)*, 1927. Óleo sobre lienzo, 100 x 73 cm.

770. TANGUY, Yves. *Todavía y siempre*, 1942. Óleo sobre lienzo, 100 x 81 cm.

787. WYETH, Andrew. *Mi joven amiga*, 1970. Temple sobre masonite, 81,3 x 63,5 cm.

SALA 48

451. ANDREWS, Michael. *Retrato de Timothy Behrens*, 1962. Óleo sobre cartón, 122 x 122 cm.

458. BACON, Francis. *Retrato de George Dyer en un espejo*, 1968. Óleo sobre lienzo, 198 x 147 cm.

491. CORNELL, Joseph. *Cacatúa Juan Gris Nº 4*, c. 1953-1954. Construcción, 50 x 30 x 11,5 cm.

492. CORNELL, Joseph. *Burbuja de jabón azul,* 1949-1950. Construcción, 24,5 x 30,5 x 9,6 cm.

513. DAVIS, Stuart. *Sweet Caporal,* 1922. Óleo y acuarela sobre cartón entelado, 51 x 47 cm.

514. DAVIS, Stuart. *Pochade,* 1958. Óleo sobre lienzo, 130 x 152 cm.

521. DEMUTH, Charles. *Love, Love, Love. Homenaje a Gertrude Stein,* 1928. Óleo sobre tabla, 51 x 53 cm.

539. ESTES, Richard. *Cabinas telefónicas,* 1967. Acrílico sobre masonite, 122 x 175,3 cm.

549. FREUD, Lucian. *Gran interior. Paddington,* 1968-1969. Óleo sobre lienzo, 183 x 122 cm.

550. FREUD, Lucian. *Reflejo con dos niños (Autorretrato),* 1965. Óleo sobre lienzo, 91 x 91 cm.

504. HOCKNEY, David. *En Memoria de Cecchino Bracci,* 1962. Óleo sobre lienzo, 213,3 x 91,4 cm.

619. KITAJ, Ronald B. *El griego de Esmirna (Nicos),* 1976-1977. Óleo sobre lienzo, 243,8 x 76,2 cm.

620. KITAJ, Ronald B. *Una visita a Londres (Robert Creeley y Robert Duncan),* 1977. Óleo sobre lienzo, 182,9 x 61 cm.

648. LICHTENSTEIN, Roy. *Mujer en el baño,* 1963. Óleo sobre lienzo, 171 x 171 cm.

649. LINDNER, Richard. *Luna sobre Alabama,* 1963. Óleo sobre lienzo, 202 x 102 cm.

721. RAUSCHENBERG, Robert. *Express,* 1963. Óleo sobre lienzo con serigrafía, 183 x 305 cm.

728. ROSENQUIST, James. *Vidrio ahumado,* 1962. Óleo sobre lienzo, 61 x 81,5 cm.

783. WESSELMANN, Tom. *Desnudo nº 1,* 1970. Óleo sobre lienzo, 63,5 x 114,5 cm.

ESCALERAS

486. BURLIUK, Vladimir. *Campesina rusa,* 1910-1911. Óleo sobre lienzo, 132 x 70 cm.

490. CORINTH, Lovis. *Desfile de modelos,* 1921. Óleo sobre lienzo, 201,5 x 100 cm.

523. DEPERO, Fortunato. *Robot. Composición mecánica,* 1920. Técnica mixta, 67,5 x 52,5 cm.

146. FOSCHI, Francesco. *Paisaje de invierno en Los Apeninos.* Óleo sobre lienzo, 48 x 62 cm.

147. FOSCHI, Francesco. *Paisaje de invierno en Los Apeninos.* Óleo sobre lienzo, 48 x 62 cm.

556. GNOLI, Domenico. *Butaca,* 1967. Óleo y sales sobre lienzo, 203 x 143 cm.

173. GRIMALDI, Giovanni Francesco. *Paisaje con Tobías y el Ángel,* después de 1650. Óleo sobre lienzo, 174 x 126 cm.

A 846.a. HECKEL, Erich. *Retrato de Sidi Heckel,* 1913. Óleo sobre lienzo, 70 x 60 cm.

617. KIRCHNER, Ernst Ludwig. *Junkerboden nevado.* Óleo sobre lienzo, 100 x 120 cm.

367. SCHOENFELD, Heinrich. *Salomón y la Reina de Saba.* Óleo sobre lienzo, 82 x 112 cm.

338. RICCI, Marco. *Paisaje de invierno.* Óleo sobre lienzo, 173 x 232 x 4 cm.

763. STAEL, Nicolas de. *Paisaje mediterráneo,* 1953. Óleo sobre lienzo, 33 x 46 cm.

ESCULTURAS

S53. CANO, Alonso (seguidor de). *San Jerónimo penitente,* fines del siglo XVII. Terracota pintada. Altura: 43,5 cm.

ZONA DE CAFETERÍA Y SALÓN DE ACTOS

452. ANDREWS, Michael. *Luces V. El pabellón del malecón,* 1973. Acrílico sobre lienzo, 152,4 x 213,3 cm.

573. GUTTUSO, Renato. *Caffè Greco,* 1976. Acrílico sobre cartón entelado, 186 x 243 cm.

665. MATTA, Roberto Sebastian Antonio. *Las grandes expectativas.* Del ciclo: "El proscrito deslumbrante", 1966. Óleo sobre lienzo, 203 x 402 cm.

666. MATTA, Roberto Sebastian Antonio. *Donde mora la locura A.* Del ciclo: "El proscrito deslumbrante", 1966. Óleo sobre lienzo, 205 x 203,5 cm.

667. MATTA, Roberto Sebastian Antonio. *El proscrito deslumbrante.* Del ciclo: "El proscrito deslumbrante", 1966. Óleo sobre lienzo, 200 x 195 cm.

668. MATTA, Roberto Sebastian Antonio. *El donde en marea alta.* Del ciclo: "El proscrito deslumbrante", 1966. Óleo sobre lienzo, 202 x 195 cm.

669. MATTA, Roberto Sebastian Antonio. *Donde mora la locura B.* Del ciclo: "El proscrito deslumbrante", 1966. Óleo sobre lienzo, 204 x 204,5 cm.

LUNWERG EDITORES S.A.
Director General: *Juan Carlos Luna*
Director de Arte: *Andrés Gamboa*
Director Técnico: *Santiago Carregal*
Maquetación: *Alberto Caffaratto*

FUNDACIÓN COLECCIÓN THYSSEN-BORNEMISZA
Coordinadora Editorial: *Alicia Martínez Vélez*

Fotografías
José Loren
Joaquín Cortés
Villa Favorita